CU00704882

Lorsque
l'enfant paraît

Françoise Dolto

Lorsque
l'enfant paraît

tome 2

Éditions du Seuil

ISBN 978-2-7578-3992-8
(ISBN 978-2-02-005001-2, 1re publication tome 2)

© Éditions du Seuil, 1978

Écrire pour s'aider soi-même

J'ai là la lettre d'une mère à laquelle vous avez déjà répondu – mais le curieux est que le problème était alors réglé depuis plusieurs jours. Voilà : « Il y a eu une sorte de petit miracle. Ma fille de deux ans, qui se réveillait chaque nuit depuis l'âge de six mois, a totalement cessé de se réveiller depuis un mois et demi. Un soir, comme je la couchais, elle m'a dit : "Eh bien, je vais maintenant au dodo." » C'était la première fois qu'elle le disait elle-même ; elle entendait sa mère le lui demander tous les soirs et, elle, elle souhaitait dormir évidemment. La mère termine : « Quand vous m'avez répondu, quelques jours plus tard, j'avais déjà réglé mon problème sans savoir comment ni pourquoi, si ce n'est, peut-être, ma détermination à vouloir le régler. Mais c'était tout intérieur. »

C'est assez extraordinaire, non ?

Je suis très heureuse de cette lettre, parce qu'elle va tout à fait dans le sens de ce que j'essaie de faire depuis le début, c'est-à-dire aider les parents à s'aider eux-mêmes dans les relations avec leurs enfants.

Je crois que la lettre qu'une mère écrit quand elle a un problème lui permet de prendre déjà un peu de recul par rapport à celui-ci : elle réfléchit, formule sa lettre en sachant qu'elle sera lue ; elle l'écrit donc avec toute son âme, si je puis dire. Moi, je la lis de la même façon. De ce fait, il se passe quelque chose à travers la lettre et la lecture de celle-ci, et à travers ceux qui écoutent. Parce qu'elle sait que mon but n'est pas de donner des recettes – chaque enfant, chaque relation parents-enfants étant différents – mais d'arriver à ce

que les parents comprennent qu'ils ont les moyens de
résoudre eux-mêmes leurs difficultés. A notre époque, les
gens ont pris l'habitude de demander à d'autres de résoudre
leurs problèmes à leur place. Or, si chacun se mettait à réfléchir calmement, honnêtement, écrivait son problème en
détail, en sachant qu'il sera entendu – c'est ça l'essentiel,
savoir que quelqu'un vous écoute –, alors il s'écouterait
avec une partie de lui-même qui serait beaucoup plus lucide
que celle prise dans le maelström de l'angoisse, de l'inquiétude, du problème aigu.

C'est ce qu'a fait cette maman, et l'enfant, elle aussi, a
compris, en sentant comment ses parents s'intéressaient à
elle. La mère avait pris du recul en face de ce qui semblait
un caprice et dont le sens, en fait, était justement d'intéresser la mère : alors l'enfant, elle, a compris qu'au lieu de
l'intéresser par son corps, qui fait et répète toujours la
même chose, elle l'intéressait en tant qu'être humain qui se
développe pour devenir peu à peu une grande fillette. C'est
ce travail-là que font ceux qui nous écrivent. Et je suis très
heureuse, parce que c'est ce que je cherchais : que les
parents considèrent que leurs enfants sont là non pas pour
leur poser des problèmes, mais pour vivre avec eux en
grandissant, en évoluant, c'est-à-dire en changeant de façon
d'être un peu tous les jours, par paliers. La vie est plus forte
que tout si on la laisse s'exprimer sans se fixer à tel
moment où ça grippe : qu'on réfléchisse alors au problème,
au moment où il a commencé, et même qu'on écrive pour
soi-même, qu'on se demande : « Enfin quoi ! Que s'est-il
passé ? », qu'on en parle et qu'on n'attende pas une réponse
toute faite.

Cette dame n'a pas attendu ma réponse ! Elle a trouvé sa
solution. Et il s'est trouvé que ma réponse a été pour elle
une confirmation du cheminement qu'elle avait fait.

Accueillir de manière civile
(Accouchement)

Vous êtes peut-être au courant du congrès de pédiatrie qui a eu lieu en 1977 à New York et au cours duquel des médecins américains, dont certains sont d'ailleurs des autorités dans leurs pays, se sont prononcés pour le retour à l'accouchement à la maison, disant que, trop souvent, les médecins – surtout aux États-Unis, je ne sais pas comment ça se passe en France – considéraient la grossesse comme une sorte de maladie qui dure neuf mois. Ils sont également tout à fait contre les accouchements provoqués. Et ils disent, finalement, qu'il n'y aurait aucun obstacle à ce que les femmes puissent de nouveau accoucher chez elles. Beaucoup de Françaises qui ont lu cette information ou en ont entendu parler voudraient avoir votre point de vue là-dessus.

L'accouchement est quelque chose de normal, ce n'est pas une maladie. Cependant, dans l'état actuel de l'organisation des maisons – avec les petits logements, les difficultés à s'y mouvoir quand on est nombreux –, déjà, pour une multipare (on appelle « multipare » une femme qui a eu plusieurs enfants), ce serait difficile. Une femme qui a eu deux ou trois enfants sans problème pourrait très bien accoucher à la maison, à condition d'être aidée. Qu'on ne dise pas, sous prétexte que c'est physiologique, qu'elle accouche de son bébé et que, tout de suite, elle vaque à ses occupations – ce qui se faisait autrefois dans les campagnes et qui provoquait des descentes de matrice chez les femmes. Il faut le temps que les muscles reprennent leur place et que le ventre de la femme redevienne tonique. Il faut du repos après l'accouchement. Mais, en effet, quand tout va bien, il est inutile de rester à l'hôpital plus de vingt-quatre heures.

Si tout s'est bien passé, si la maman peut être aidée à la maison, non seulement le bébé est beaucoup mieux chez lui, mais la mère aussi est beaucoup mieux chez elle. Et surtout, pour les enfants, si elle en a déjà, c'est mieux de voir la mère à la maison et de voir le bébé tout de suite. Et puis, à la maison, il y a le père. Car c'est terrible : sous prétexte qu'un homme est père, il n'a plus sa femme pour parler avec elle de ce moment pour tous deux si important. Et ce bébé, qui a entendu *in utero* (c'est-à-dire quand il était à l'état de fœtus) la voix de son père toujours mêlée à celle de la mère, tout à coup, est orphelin de voix d'homme, de voix de père, et, trop souvent à l'hôpital séparé de sa mère, il n'entend brailler que des nourrissons. Il est soigné par quelqu'un, mais c'est pour lui comme un désert de quelques jours ; et, quelques jours, pour un nourrisson, c'est comme quatre ou cinq mois pour nous.

Donc, je suis tout à fait d'avis que l'accouchement doit se passer le plus simplement possible. Mais je pense que, pour un premier, ou même un deuxième bébé – et surtout si ces deux accouchements ont été difficiles –, il vaut mieux continuer d'aller à l'hôpital. C'est tout de même la sécurité pour le bébé et pour la mère – quitte à revenir chez soi le plus vite possible.

Il pourrait y avoir d'ailleurs (on en forme en ce moment) des assistantes familiales. Ce n'est pas du tout compliqué d'aider une jeune accouchée ; des assistantes feraient de petits stages dans les hôpitaux ou dans les cliniques privées d'accouchement pour apprendre à donner les soins aux accouchées et aux bébés. Cela pourrait même, peut-être, faire partie – en coûtant moins cher aux hôpitaux – de l'allocation de maternité[1]. Elles aideraient les mères pendant une

---

1. On me signale qu'il existe, depuis 1945, des associations de travailleuses familiales reconnues par un décret du ministère de la Santé datant de 1949 ; ces travailleuses familiales sont formées pour venir en aide aux mères surmenées ou rentrant précocement chez elles

quinzaine de jours pour que celles-ci se reposent vraiment. Comme il y a toujours un petit état dépressif, physiologique, qui suit un accouchement, ces assistantes parleraient avec la mère, l'aideraient moralement, matériellement aussi, car elle en a besoin, surtout parce que les enfants précédents sont un peu jaloux et plus exigeants quand la mère est présente que lorsqu'elle n'est pas là.

Dans un congrès de pédiatrie dont nous parlions, il a aussi été question de l'accouchement provoqué : les médecins américains sont tout à fait contre.

J'en suis contente, et que cela vienne d'Amérique ! Parce que cet accouchement provoqué n'a été institué que pour la commodité des accoucheurs.

Pour aller plus vite ?

Pour aller plus vite, pour être plus tranquilles. Absolument comme des machines. Or, il n'y a pas d'accouchement qui ne soit déjà quelque chose d'humain. Il y a des femmes qui accouchent lentement. D'autres qui accouchent plus vite. Il y a des femmes qui commencent le travail, puis marquent un temps de repos, et pour qui on doit attendre patiemment, sans angoisse, la reprise du travail, parce que cet enfant-là est ainsi et que cette dyade, cette symbiose mère-enfant, a du mal à se séparer. Il faut aider la mère afin qu'elle se sente en parfaite sécurité, qu'elle puisse parler de ce qu'elle ressent, et aussi aider l'enfant à naître. Mais, surtout, ne jamais violenter, ni en gestes ni en paroles, parce que la violence subie et l'angoisse éprouvée par une parturiente mal assistée

---

après un accouchement. Ces associations ont des filiales dans tous les départements. Les femmes intéressées peuvent s'adresser à leur centre de Sécurité sociale ou à l'assistance sociale de leur ville. Il existe aussi une revue sur ce sujet *les Travailleuses familiales*, éditée par la Documentation française, 29-31 quai Voltaire à Paris, VIIᵉ.

dans sa souffrance créent un climat de tension psychique qui
marque la relation mère-enfant au début de la vie du nouveau-né, et cela se paie parfois très cher plus tard.

*On parle beaucoup d'accouchement sans douleur mais
aussi, de plus en plus, de naissance sans violence (c'est le
titre d'un livre, d'ailleurs[1]). A ce sujet, une future maman
vous demande :*
    *« Quelles pourraient être les conséquences, positives ou
négatives, sur le plan physiologique ou sur le plan psychique, de la méthode traditionnelle, qui se préoccupe surtout de la non-douleur de la mère ? »*

Il est évident que ce livre a révélé au public la possibilité de
faire naître un bébé sans le traumatiser ; ou plutôt le moins
possible, étant donné que la mutation de fœtus à nouveau-né
constitue déjà un traumatisme naturel ; c'est une mutation
avec toute une transformation de corps : modification circulatoire, ventilation pulmonaire, apparition d'un monde de
sensorialité subitement différent de celui où vivait l'enfant
jusqu'alors (température, lumière, sonorité, tactilité, etc.).
    Cette méthode d'accouchement est évidemment la suite de
l'accouchement sans douleur. J'espère que, dans quelques
décades – parce que ça ne peut pas se faire du jour au lendemain, c'est quelque chose qui commence –, beaucoup d'enfants seront accouchés dans ces conditions, c'est-à-dire avec
peu de bruits, pas de lumière intense et la proximité de la
mère pendant les premières heures de la vie. Jusqu'à présent, on était surtout attentif à voir si l'enfant avait bien tout
ce qu'il lui fallait, sans penser que c'est déjà une personne et
qu'il faut l'accueillir – comment dire ? – d'une manière
civile. Il était accueilli comme un petit mammifère, moins
bien même, car un petit mammifère est soutenu par sa
maman qui le lèche, l'aide, le garde près d'elle. Les humains

    1. Frédéric Leboyer, *Pour une naissance sans violence*, Éd. du
Seuil.

n'avaient pas encore pensé à cela. Nous commençons à y penser, probablement parce que nous nous sentons tellement « stressés » par la civilisation que nous réalisons soudain que les enfants peuvent être « stressés » inutilement à la naissance.

Cela dit, cette correspondante habite la province et je ne sais pas s'il y a une clinique qui accouche de cette façon dans sa région. S'il n'y en a pas, qu'elle ne se mette pas martel en tête. Ayant lu ce livre, elle a déjà compris qu'il faut réduire au minimum les traumatismes que son enfant pourra avoir. Qu'elle cherche à le garder près d'elle, au moins la journée, pour qu'il soit très vite dans son odeur. S'il a souffert, lui, au moment de l'accouchement, qu'elle sache lui en parler très tôt. (Vous savez que je dis souvent qu'il faut parler aux bébés de ce qu'ils ont eu comme épreuves. La voix caressante et modulée de la mère est le meilleur des baumes après des difficultés.) Qu'elle lui dise : « Mais tu es fort maintenant. Tu es grand. Tu vas bien. » Etc. Je crois que ça marchera bien.

En ce qui concerne les avantages de la naissance sans violence, puisqu'elle me pose la question, je sais que des études ont été faites sur des enfants ayant été accouchés de cette façon – puisque cela fait une trentaine d'années maintenant que cette méthode a été inaugurée. Il est très net, dans les familles à plusieurs enfants où un seul a été accouché de cette façon, que celui-ci n'a absolument pas d'angoisses – ni à l'obscurité, ni au bruit, ni à la solitude –, alors que les autres en ont. C'est assez remarquable de constater, dans tous les cas, cette différence. (C'est la seule qu'on puisse voir, puisqu'on ne peut pas comparer un enfant accouché d'une façon au même enfant accouché autrement ! On ne peut faire d'observation que dans une famille nombreuse, et d'après les statistiques. Il est certain que ces enfants ont beaucoup plus de confiance en eux et sont moins angoissés que les autres dans des situations qui, d'habitude, angoissent les petits.)

Tu as eu un père de naissance
(Mères célibataires)

Je vous propose d'aborder le problème des mères céliba-
taires. Une de ces mamans écrit : « J'ai un petit garçon
de sept mois et je m'inquiète de la façon dont l'absence du
père va retentir sur lui. Faut-il suppléer au père dans l'ave-
nir ? A quel moment l'enfant risque-t-il de se sentir frustré
de ne pas en avoir eu ? Faut-il lui parler de ce père inconnu,
même s'il ne pose pas de questions, de façon qu'il ne se sente
pas trop différent des autres enfants ? Ne sera-t-il pas gêné,
dans sa croissance, pour s'identifier en tant qu'homme, du
fait qu'il sera surtout entouré par des femmes ? »

Une fille, autant qu'un garçon, a besoin de présence masculine pour bien se développer. Cette femme n'a pas de
parents masculins du tout ?

Elle n'en parle pas ; elle dit : « ... du fait qu'il n'aura pas,
de façon habituelle, un être masculin comme modèle dans
tous ses actes quotidiens. »

Il me semble bien étonnant qu'une femme puisse vivre
sans jamais être amicalement au contact d'hommes ou de
couples.

Elle s'interroge surtout sur le fait qu'il n'y a pas d'homme
à la maison.

Peut-être au foyer ; mais le garçon en connaît, il voit des
gens, des enfants qui ont père, mère, frères et sœurs. Et plus
tard, à l'école, la population enfantine et adulte autour de

l'enfant lui représentera la sexualité sous la double forme masculine et féminine. En tout cas, il est impossible qu'un enfant, fille ou garçon, se développe en croyant – faute de conjoint légal ou de compagnon sexuel de sa mère – qu'il sera femme en grandissant (si c'est un garçon), ou que son désir est interdit vis-à-vis de l'autre sexe (si c'est une fille qui veut en tout s'identifier à sa mère célibataire). Ce ne sont là que deux exemples pour approcher un grand problème, celui du dire de sa conception nécessaire à un enfant ; dire où s'enracine son savoir sur lui-même et sur sa valeur pour qui l'aime et assure son éducation.

Mais beaucoup, et cela se comprend, se demandent par quel biais aborder cette vérité-là.

Chez un enfant élevé par sa mère dans des circonstances particulières, le dire vrai concernant le père de naissance (géniteur est le mot juste, mais les enfants parlent de « père de naissance » et de « mère de naissance ») doit se référer au *nom de famille*, c'est-à-dire au patronyme de l'état civil, patronyme sous lequel l'enfant va être inscrit à l'école (et que bien souvent, jusque-là, il a ignoré). Ce nom peut être celui d'un père qu'il ne connaît pas : d'un père qui l'a d'abord reconnu puis est décédé ou l'a délaissé, en particulier dans une famille où il n'y a pas, pour suppléer, de grands-parents ou d'oncles paternels ; ou bien encore la mère a divorcé, alors que l'enfant était en bas âge, et elle s'est remariée ou a repris son nom de jeune fille ; autre cas, l'enfant porte le nom de jeune fille de sa mère restée célibataire ou vivant en concubinage avec un homme qu'il appelle « papa ». De toute façon, c'est en référence à son nom, dans l'état civil, que ce qui concerne son géniteur doit être expliqué à l'enfant, fille ou garçon.

J'imagine que le problème est à traiter à part quand l'enfant porte le nom de sa mère.

Si l'enfant porte le nom de jeune fille de sa mère, il n'est pas impossible – aujourd'hui ou plus tard – qu'il se pose la question de l'inceste de sa mère avec son grand-père maternel ou un oncle maternel ; surtout si l'un ou l'autre de ceux-ci occupe une place tutélaire. L'absence d'explication concernant le nom et la loi qui l'a imposé à l'enfant, à sa naissance, à partir des circonstances de sa conception et des relations de sa mère de naissance avec son père de naissance, entrave toujours, tôt ou tard, l'intelligence du langage, la vie affective ou la vie sociale. Et il faut là-dessus des explications claires, plusieurs fois répétées au cours de la croissance, données par la mère ou des familiers. Il faut en somme que l'enfant connaisse la loi qui régit son patronyme. Et si la fille ou le garçon d'une mère célibataire porte le nom de celle-ci et grandit de surcroît à travers une vie familiale sans hommes, voire sans autre famille, l'enfant risque de se vivre comme un attribut de sa mère, tel un enfant parthénogénétique (né de femme seulement). C'est un mensonge, et l'enfant en est marqué d'irréalité fondamentale ; de plus, il est angoissé, frappé d'insécurité devant le problème éventuel de la mort de sa mère, sans qui son existence n'est pas légalement assurée. Toute mère célibataire doit prévoir qui prendra la charge de son enfant au cas où elle disparaîtrait, et le lui dire. L'insécurité existentielle d'un enfant sans famille maternelle et paternelle n'est pas assez connue ; j'ai vu de ces enfants entrer dans une angoisse génératrice de débilité névrotique à partir de cinq ans, l'âge où le problème de la mort des parents ne peut être éludé. Ces enfants-là n'avaient aucune réponse à une question muette, qu'ils n'osaient pas aborder avec leur mère, seule responsable d'eux : elle, en fait, avait prévu cette éventualité, mais n'en avait jamais parlé avec l'enfant, lequel, par angoisse, entrait dans une régression névrotique.

Mais revenons au problème du nom. Dans le cas concret d'aujourd'hui, cas d'une mère célibataire dans un milieu féminin, la vérité concernant sa conception doit être dite au garçon, sans blâme sur la personne du géniteur, quelles que soient les circonstances de la relation sexuelle dont l'enfant est issu, et, si possible, sans pathos ni sentiment de culpabilité ou sacrificiel de la part de la mère ; quelles qu'aient été et que soient peut-être encore ses difficultés pour faire face à ses responsabilités, elle a eu du moins la joie de mettre son enfant au monde et de l'aimer, joie qu'elle doit à l'homme qui l'a rendue mère. Cela dit, elle a raison de vouloir parler à son enfant. Il faut lui expliquer : « Toi aussi, tu as eu un père de naissance. Mais tu ne le connais pas parce que je ne me suis pas mariée avec lui. » De même, si la mère vit avec un homme, qui dans la réalité fait couple tutélaire avec elle mais n'est pas le père de naissance de l'enfant, je crois qu'il faut toujours le dire assez tôt, c'est-à-dire au plus tard avant l'âge de l'école, et même si l'enfant n'en parle pas.

Voilà donc pour les explications concernant le père à l'occasion du nom. A part cela – je parle à la spécialiste que vous êtes –, comment d'une manière générale, les enfants réagissent-ils à l'absence de père ?

Vous voulez dire : les enfants de mère célibataire ?… Il n'y a pas de « manière générale ». Tout dépend de la façon dont la mère parle à l'enfant de son géniteur, de la façon dont elle l'a aimé et de la façon dont elle accueille, dans ses relations émotionnelles et affectives, la présence des hommes autour d'elle, comme aussi les relations émotionnelles de son enfant vis-à-vis d'eux. Dans le cas de cette femme qui a elle-même refusé d'épouser le géniteur, il faut qu'elle montre à l'enfant, à l'aide de photos de cet homme lorsqu'elle le fréquentait, qu'il a existé pour elle ; et d'après des photos d'elle, enfant, qu'elle-même a eu un père, son grand-père maternel à lui, etc. Et puis, s'il dit un jour en voyant un homme : « Ce monsieur-là, je voudrais bien qu'il soit mon papa », qu'elle lui réponde : « Tu vois, tu as un modèle de père dans ton cœur. » Si son enfant est un garçon, elle peut ajouter : « Il ne tient qu'à toi de devenir aussi bien que lui » ; mais s'il lui montre un Noir et que lui est blanc, elle doit lui dire : « Non ! Tu ne deviendras jamais noir, parce que ton père de naissance était blanc » ; que s'il lui montre un monsieur tout petit alors qu'il est longiligne, elle lui dise : « Non ! tu seras probablement grand, ton père de naissance l'était et tu l'es déjà maintenant pour ton âge. » Ainsi, par référence au corps, elle pourra déjà, sans nier la réalité du géniteur, proposer à l'enfant des modèles. Il y en a assez parmi les sportifs, les gens de la télévision, etc. Il s'y intéressera beaucoup.

Elle doit lui expliquer aussi qu'il est un cas particulier, en ce sens qu'elle ne vit pas avec quelqu'un qu'il peut appeler « papa », mais qu'il lui est possible de se choisir des hommes pour le conseiller et répondre aux questions qu'il se posera quand elle ne pourra pas le faire. Ce qu'une mère célibataire doit savoir, c'est qu'il y a beaucoup de choses qu'elle ne pourra pas expliquer à son fils. Qu'elle lui dise alors : « Tu vois, je suis une femme. Je n'ai jamais été un petit garçon. Je ne sais pas te répondre. » C'est d'ailleurs une réponse que toute mère de garçon doit faire dans les familles les plus classiques, où trop souvent les fils prennent l'habitude de se référer à leur mère seule, avec la complicité ou le laisser-faire, hélas, du père.

Il ne faut pas que la mère remplace le père ?

Ce n'est pas qu'il ne faut pas, elle ne *peut* pas. Tant pour les filles que pour les garçons, des substituts masculins tutélaires et chastes sont nécessaires. Une mère seule n'est plus femme. Dans les meilleurs cas, elle est comme « neutre ». Elle peut être responsable sur le plan juridique, responsable sur le plan de l'éducation morale, mais elle ne peut pas répondre à tout – et surtout pas à ce qui est affectif, sensible et émotionnel, en particulier chez un garçon. Si elle le fait, elle s'immisce beaucoup trop dans sa sensibilité. Qu'elle lui dise : « Ça, ce sont des choses de garçon », et qu'elle lui conseille de demander à tel ou tel ami qu'elle a, tel ou tel oncle qui est marié. Ou que, s'il questionne une parente mariée, celle-ci, tout en ne refusant pas de répondre de sa place, le renvoie à son mari : « Il saura mieux te répondre que moi, parce que moi, je suis une femme, comme ta mère, je n'ai pas l'expérience d'un homme qui, comme toi, a été garçon et adolescent, avec des problèmes qui se posent à tous ceux de ton sexe. » De même, une fille qui n'a jamais connu d'homme avec sa mère ne peut pas en confiance lui parler de ses émois pour les garçons. Elle sent sa mère frustrée. Et si elle lui parle, c'est qu'elle est encore petite fille sous la dépendance prudentielle d'une mère qu'elle prend plutôt pour une grande sœur orpheline.

C'est donc très difficile d'élever un enfant sans père.

Oui, certainement, mais il y en a qui savent se tirer de ces difficultés, celles qui disent la vérité et qui continuent de vivre sentimentalement, sexuellement, comme elles le peuvent, leur vie de femme, en travaillant, en ayant une vie sociale de citoyennes, en ne se refermant pas sur leur solitude, en incitant leurs enfants à une vie de relation avec des camarades de leur âge, sans leur cacher les difficultés, mais sans les emprisonner dans un amour inquiet et possessif.

Ce n'est pas facile, ce programme, pour une femme seule.

Peut-être. Mais vous savez, si le développement psycho-sexuel et affectif d'un enfant élevé sans père par une mère célibataire est difficile, il ne l'est pas plus que, dans bien des cas, celui d'un enfant unique ou dernier-né de mère restée veuve très tôt, et que ni la famille maternelle ni la famille paternelle ne peut ou ne veut aider.

Quand une mère idéalise un père défunt, par exemple, c'est, pour l'enfant qui ne l'a pas connu ou l'a à peine connu, aussi nuisible que de se trouver dans l'ignorance concernant son géniteur et ce que, dans la réalité, ont été les relations de sa mère et de son père, bref, ce qui a donné un sens suffisant à son existence pour qu'il vive. Un père idéalisé par une mère au veuvage inguérissable est écrasant pour un fils, qui se doit alors, à la période œdipienne, de jouer le mort social et sexuel pour rivaliser avec lui. Il y a aussi des veuves qui, d'être inconsolables, provoquent la

névrose de leurs enfants, tout autant que telles femmes
abandonnées avec un enfant qui se braquent du coup contre
tous les hommes, c'est-à-dire contre la vie en elles-mêmes.

Ici encore nous retrouvons le problème de la parole. La
mère a existé d'abord biologiquement à travers la gestation
et le sentiment de responsabilité qu'elle entraîne. Puis elle
existe par ses actes et ses paroles dans tout ce qui est l'éducation de son enfant. Le père absent, lui, existe symbolique-
ment dans la parole de la mère et de quiconque l'a, de son
vivant, connu, aimé, et peut le décrire à l'enfant tel qu'il
était. Tout enfant, dès lors que sa mère n'a pas créé pour lui
un *black-out* sur l'homme qui l'a rendue mère, peut être
mis en relation avec qui a connu et apprécié son père, et
entendre parler de lui. Et chaque fois que c'est possible, la
mère doit taire sa déception, permettre cette rencontre avec
quelqu'un qui n'a pas les mêmes raisons qu'elle de souffrir
de ce qui n'a pas pu avoir de suite.

Je vous le redis, pour une mère seule, la façon d'élever
ses enfants, c'est d'abord de leur délivrer la vérité sur leur
conception : le sens de leur vie s'y enracine ; puis, à partir
de leur plus jeune âge, de les référer à des adultes des deux
sexes en face desquels, elle-même, situe sa propre façon de
vivre, tout en incitant ses fils et filles à opter, eux, selon
leurs affinités naturelles parmi ceux qu'ils rencontrent : il
importe qu'ils aient des exemples ailleurs que dans un
cercle familial rendu d'autant plus étroit qu'il n'y a pas ou
plus de père.

Ce serait d'ailleurs la même chose si, la mère étant partie
ou défunte, le père restait seul pour élever ses enfants.

*Voici une autre lettre, celle d'une mère célibataire qui a
adopté, alors qu'il avait dix mois, un bébé de mère vietnamienne et de père soldat noir américain : tous deux sont
morts. Cette dame écrit que l'enfant est très gentil, n'a pas
de problèmes, mais qu'elle le trouve nonchalant et pas assez
agressif. « Il a déjà eu à subir, écrit-elle, des réflexions
désagréables concernant sa couleur. »*

D'abord, pas assez agressif par rapport à qui et à quoi ? Et pourquoi parle-t-elle de réflexions désagréables ? « N'es-tu pas chinois ? » lui a-t-on dit : eh bien, pourquoi ne lui explique-t-elle pas l'histoire de son père et de sa mère ? Je crois que ce serait très bien qu'elle le fasse et qu'elle lui dise que c'est grâce aux œuvres de la Croix-Rouge (probablement) qu'elle, qui le pouvait et le demandait, a obtenu de s'occuper de lui, et que ses parents de naissance seraient certainement très heureux de savoir qu'il est élevé par elle qui en a les moyens, en France. Il faut qu'il puisse répondre, quand on lui pose des questions concernant son père. Si elle lui a donné l'existence symbolique de celui-ci, il ne sera pas frustré. Il pourra en parler, comme les autres enfants, dire : « Mon papa à moi, il est mort à la guerre du Viêt-nam. C'était un soldat américain. » C'était un soldat noir. Parmi tous ces soldats américains, il y avait beaucoup de Noirs. Qu'elle lui montre des photos des journaux de l'époque. Je crois qu'il faut absolument lui dire la vérité. Et que son type d'Asiatique métissé lui soit expliqué, qu'on lui parle de sa mère de naissance vietnamienne qui a disparu de sa vie du fait de la guerre.

« J'ai peur qu'il souffre ou qu'il s'accroche trop à moi, écrit-elle encore. D'autant qu'il n'a même plus de grand-père. »

Mais non, il ne souffrira pas si elle lui parle. Et là encore, cette femme n'est pas seule au monde. Il y a des hommes et des femmes autour d'elle. L'enfant trouvera des modèles de ce qu'est vivre parmi eux. Je crois qu'elle se débrouillera très bien. Mais je comprends qu'il y ait des mères célibataires qui se posent des questions. C'est bien que celle-ci les pose. Et si, plus tard, elle a quelques problèmes, elle pourra demander à un psychologue masculin de s'occuper de son fils et de lui redire les choses qu'elle lui aura dites avec sa voix de femme, afin qu'il entende une voix d'homme lui parler de son histoire et l'aider à assumer son destin.

Troisième situation : une femme qui a décidé, en commun accord avec l'ami dont elle a eu un enfant, de rester célibataire et d'assumer totalement la charge et l'éducation de celui-ci. Catholique d'origine, elle se demande si, bien qu'ayant perdu la foi, elle ne devrait pas faire baptiser son enfant. Et là-dessus elle ajoute : « Ne serait-il pas bon tout de même de donner à mon enfant un parrain et une marraine ? N'est-il pas bon, surtout lorsqu'un enfant n'a pas de père, ou ne voit presque jamais d'hommes, de multiplier les liens affectifs autour de lui ? »

« Multiplier » les liens affectifs avant qu'il ne s'en crée lui-même, je ne sais pas, mais avoir des amis qui s'engageraient à prendre l'enfant en charge s'il arrivait quelque chose à la mère, certainement. Ce serait une sécurité pour eux deux, si l'enfant pouvait avoir comme parrain et marraine des adultes, des familiers, qui seraient des répondants au cours de son éducation, mais aussi au cours des incidents qui peuvent arriver dans la vie réduite d'une femme seule avec son enfant. Je crois que ça, c'est important. Si elle veut prendre, comme elle dit, un parrain et une marraine, il s'agit de trouver un couple avec qui elle est assez liée et qui accepte sa façon de voir les choses ; qui accepte aussi que ce parrainage, le jour où il se décidera, soit une petite fête. Je crois qu'il faut attendre pour cela que l'enfant soit un peu plus grand. La mère peut déjà lui parler de ceux qui ont accepté cette responsabilité. Ce sera, par exemple, le jour de son premier anniversaire : on fera une fête. Parrain et marraine seront présents, l'enfant apprendra pourquoi il appelle « parrain » et « marraine » ces deux adultes qui sont différents des autres et en qui il peut avoir confiance.

Elle se demande aussi s'il faut les choisir dans la famille, parmi des gens proches, ou ailleurs.

On a souvent coutume de prendre un parrain et une marraine dans la famille. Je trouve dommage, surtout pour un enfant qui n'a pas de famille du côté paternel, de doubler ainsi une relation qui est, déjà, une relation de coresponsabilité acceptée légalement s'il s'agit de la famille maternelle proche. Ça suffit d'être oncle, d'être tante pour un enfant. Il est préférable de choisir un parrain et une marraine étrangers à la famille, et pas trop jeunes. C'est quelquefois l'usage de prendre un autre enfant de quelques années de plus. Je crois qu'il vaut mieux choisir des adultes – de l'âge de la mère si possible, ou peut-être un peu plus jeunes qu'elle – et qui prennent leur rôle au sérieux. Parce que, quand une mère est seule responsable de son enfant, c'est en effet sérieux pour elle de se dire : « S'il m'arrivait quelque chose, il faudrait qu'il y ait quelqu'un qui prenne ma suite pour l'éducation. »

Quant à le faire baptiser ? Pourquoi, puisqu'elle n'a plus, semble-t-il, cette croyance vivace en elle ? Mieux vaut le soutenir, éventuellement, plus tard dans les options qui lui seront propres. J'ajoute que bien des enfants baptisés ne savent pas la responsabilité spirituelle de leurs parrain et marraine à leur égard, la responsabilité que ceux-ci ont accepté d'assumer. Et, de ce que cet enfant ait ou non un parrain et une marraine devant les fonts baptismaux, ne dépend pas encore qu'il y ait un homme et une femme qui acceptent leur responsabilité envers lui. Or, c'est ça, un parrain et une marraine. Et si l'enfant, en définitive, en a, il doit le savoir. Bien sûr, ce n'est pas à un an que la mère pourra le lui expliquer ; mais c'est au cours de son développement, à deux, trois et surtout autour de cinq, six ans, qu'il faudra reprendre la question : « Pourquoi on a choisi cette marraine ? » Parce qu'elle a un rôle très important, un rôle de remplacement, s'il arrive quelque chose à la mère. Et le parrain doit remplacer pour lui le père qu'il n'a pas. Il s'est engagé à être vis-à-vis de lui un homme de bon conseil et il le soutiendra jusqu'à l'âge adulte dans ses difficultés.

L'enfant touche-à-tout
(Déambulation, exploration)

Une question qui revient très souvent, c'est celle des « touche-à-tout », c'est-à-dire des enfants qui commencent à marcher et qui, en se promenant dans l'appartement, se transforment quelquefois en tornade. J'ai là deux lettres que je vous lis à la suite. D'abord celle d'une mère qui ne dramatise pas la situation mais écrit simplement : « J'ai un petit garçon de treize mois. Depuis deux mois qu'il marche, il est plein de vie et il nous épuise. Dès qu'il est réveillé, il grimpe partout. S'il est dans la cuisine, il prend les casseroles, les couvercles et fait un tintamarre épouvantable en les tapant sur le réfrigérateur ou le carrelage. S'il est dans la salle de bains, c'est le tube de dentifrice qui passe dans le lavabo. S'il est dans la salle commune, il touche aux boutons de la télévision, etc. Que dois-je faire ? Le laisser tout détruire dans la maison ? Placer hors de sa portée tout ce à quoi il ne devrait pas toucher ? Ou lui interdire tout sans arrêt ? »

La deuxième lettre concerne une fillette de onze mois qui explore l'appartement à quatre pattes, bien sûr, et porte tout ce qu'elle trouve à la bouche. La maman, comme la précédente, pose le problème de l'intervention. Doit-elle laisser faire l'enfant, en essayant de limiter les dégâts, la laisser jouer seule, ou toujours jouer avec elle pour empêcher qu'elle porte les objets à sa bouche ?

Ce sont deux problèmes liés : la déambulation et l'exploration. Il est normal qu'un enfant mette tout en bouche et ce d'autant plus qu'il n'a pas de paroles pour nommer ce qu'il touche. J'en ai déjà parlé, de ce touche-à-tout. La petite de onze mois paraît précoce ; mais on doit le plus possible éviter de dire : « Ne touche pas ! » Il faut bien sûr que la mère ôte de sa portée tout ce qui peut être véritablement dangereux. Et puis, chaque fois qu'elle le peut, qu'elle assiste l'enfant du regard et de la parole. Si l'enfant met des choses à sa bouche, qu'elle la surveille en lui disant : « C'est telle chose, tel objet, tu sens le goût ? C'est du cuir, c'est du carton, c'est du tissu, c'est de l'étoffe, c'est du velours, c'est du tricot… » Et qu'ensuite elle reprenne les objets. Que toute la maison soit ainsi explorée par l'enfant et que la mère lui donne le vocabulaire de tout ce qu'elle touche, palpe, prend et met à sa bouche, quand elle est présente lors de ces explorations.

Le reste du temps, lorsque la maman ne peut pas suivre son enfant des yeux et commenter tout ce qu'il fait, qu'elle le mette dans une pièce séparée des autres par une petite barrière à claire-voie (que son mari peut lui bricoler) à la hauteur de l'enfant avec, dedans, des boites en carton, de petits meubles, des joujoux, des tas de ces bidules dont les enfants ont besoin. Il faut que l'enfant ait la liberté de toucher à tout et de mettre à sa bouche, mais que ce ne soit pas dangereux.

Maintenant, dehors, bien sûr il n'est pas bon pour un enfant de manger de la terre, de la boue, des choses sales. C'est pourquoi les joujoux qu'il emmène avec lui sont plus intéressants. Mais ils ne le deviennent qu'à partir du moment où ils ont un nom et sont inclus par les dires de la mère les concernant à la relation qu'a l'enfant avec elle.

Revenons maintenant au petit garçon de treize mois qui marche depuis deux mois. Il a, comme la petite fille, besoin de connaître tout, de savoir comment on touche et à quoi sert ce qu'il touche. Il ne faut pas se contenter de lui dire : « C'est un couvercle de casserole », mais : « Tu vois, ce couvercle-ci est plus grand que celui-là », et lui en montrer un autre : « C'est pour mettre sur telle casserole » ; et le faire chercher entre deux ou trois casseroles : « Sur laquelle est-ce que ça va ? Non, tu vois, pas sur celle-là, sur l'autre. » Ceci, une demi-heure matin et soir. C'est la leçon de choses de l'enfant touche-à-tout dont j'ai déjà parlé. Quant au bruit qu'il fait, au tintamarre dont cette mère parle, elle peut, pour le maîtriser, jouer de temps en temps

avec lui à des jeux de rythmes (les enfants adorent cela) en
chantant des mots ou des comptines de son invention. Ces
exercices moteurs, sonores et verbaux sont excellents pour
un bébé Et puis, que la maman n'oublie pas d'ouvrir
l'échelle de ménage pour qu'il s'exerce à y monter et à en
descendre. Et surtout qu'elle le promène, le fasse courir,
jouer au ballon, une ou deux heures par jour (en deux fois,
bien sûr), parce que c'est un enfant moteur. Qu'il ait aussi
des jouets sur lesquels il puisse s'asseoir, avec lesquels il
puisse avancer, faire « tut-tut » ; des chaises qu'il puisse
pousser partout.

Les jeux sensoriels, assistés par les paroles maternelle et
paternelle, cela commence très tôt, dès le berceau : vue,
ouïe, toucher, préhension ; prendre, lâcher, donner, lancer,
attraper. A partir de la déambulation, vient la maîtrise des
choses dans l'espace ; l'exploration et l'expérience du
corps, à l'imitation de ce que font les adultes et les familiers. L'intelligence humaine est là à l'œuvre, et l'acquisition du langage gestuel mimique, sonore et verbal, pour le
plaisir de connaître le monde, de le maîtriser, et de communiquer avec les autres.

*J'ai, sur le même thème, une troisième lettre intéressante
en ce que les difficultés viennent paradoxalement, peut-
être, de ce que c'est une maman très désireuse de bien
faire. Et d'abord, elle vous pose une question très générale : « Je sais que vous êtes pour une politique d'extrême
douceur (ne jamais élever la voix, tout expliquer posément)
avec les jeunes enfants. Cependant, comment, avec un bébé
de douze mois qui commence à marcher et à toucher à tout,
exercer les premières sanctions ? Comment, petit à petit,
l'amener à obéir à un ordre important ? A mon avis, de la
douceur et de la compréhension jusqu'à un laisser-faire
total – qui est une des tendances chez certains jeunes
parents évoluant dans les milieux de la psychologie ou de
la pédagogie moderne –, il y a un fossé. »*

Ce n'est pas parce qu'on interdit quelque chose qu'il faut le faire en hurlant. Et la douceur n'exclut pas la fermeté ni certains interdits motivés par la prudence.

Maintenant, pour commencer à toucher à tout, j'ai eu à l'instant l'occasion de dire qu'à onze mois il faut encore enlever toutes les choses dangereuses et laisser l'enfant expérimenter, non pas comme l'écrit cette dame, en le mettant dans son parc, mais au contraire en lui laissant des caisses en carton (pour qu'il puisse jouer avec, se cacher dedans), des petits tabourets, des petits obstacles qu'il pourra escalader.

Oui, je vous interromps pour lire la suite de la lettre, parce que, là, il s'agit de l'expérience précise de cette maman…

Elle a l'air d'être une mère esclave, esclave du bien faire, d'après ce qu'elle dit.

Elle écrit : « Voilà ce que je fais : je me mets avec mon fils dans le parc. Je lui montre comment enfiler des anneaux sur un bâton. Je lui empile des cubes. Il a alors une réaction très drôle que je voudrais que vous m'expliquiez en me disant si elle est générale : il lance des coups de pieds dans les piles de cubes que je fais sans chercher à les reformer. Il parvient, après un ou deux essais, à enfiler les anneaux sur le bâton. Je l'encourage. Et puis, soudain, tout cela commence à l'ennuyer. Il se met a pleurer rageusement, s'agite et jette tout à l'extérieur du parc ; il n'est manifestement pas intéressé par tous ces jeux d'adresse qui sont de son âge. »

Ils ne sont pas encore de son âge. Son énervement en est la preuve. Et puis pourquoi cette femme se met-elle dans le parc avec son enfant ? Si elle est présente, qu'elle le laisse à quatre pattes aller partout dans l'appartement.

J'en profite pour vous dire que beaucoup de questions nous arrivent sur : « Quels jeux ? A quel âge ? » Alors, cette dame se trompe totalement ?

Oui. Ce qu'elle veut lui faire faire là, ce sont des jeux que découvre tout seul, pour le plaisir, un enfant de dix-huit mois. Lui, au contraire, est à l'âge des jeux de toucher. Donc, que la maman ne l'enferme pas dans un parc, mais lui apprenne à toucher les choses : qu'elle lui mette dans une caisse des tas de petits objets – ce que j'appelle des « bidules » : bobines, bouts de tapis, pelotes de laine, vieille sonnette, clés, vieille serrure, enfin, je ne sais pas, tout ce qu'elle peut trouver intéressant quant au toucher. Qu'il ait aussi des joujoux (de petits animaux, de petites poupées, un camion en bois, du papier de couleur, un sac, une valisette, des chiens, des chats en peluche, en caoutchouc, une trompette, un tambour, etc.). Et que la maman laisse l'enfant manipuler tous ces objets en les nommant et en en parlant avec lui. Voilà pour l'âge où il en est maintenant. Il n'en est pas du tout à ce qu'elle veut lui faire faire et dont il ne prend pas l'initiative.

Dans un autre passage de la lettre, elle écrit qu'elle se promène dans l'appartement en lui donnant la main « parce qu'il aime mieux ça », et qu'alors elle ne peut rien faire d'autre.

Voilà une mère qui ne supporte pas de mécontenter son enfant. Mais alors, jusqu'à quand ? Non, ce n'est pas possible ! Il faut que cet enfant qui aime s'occuper tout seul puisse le faire, comme je viens de le dire. Et qu'elle ait ses propres occupations de femme.

Et quand elle aura besoin de le mettre dans le parc, il n'est pas utile qu'elle s'y mette avec lui ?

Le parc ne doit pas être employé à longueur de journée. Seulement quand la mère ne peut pas surveiller l'enfant. Mais sans s'y mettre elle aussi ! En ce moment, il est surtout à l'âge où il aime jouer tranquillement en lançant des objets. Qu'elle le mette dans son parc le moins possible, qu'il soit dans la maison à courir derrière elle. Et quand il aura treize, quatorze mois – dès à présent, si elle le sent assez habile –, qu'elle ouvre l'escabeau de ménage pour qu'il apprenne à grimper. Un enfant qui grimpe (sur des tables par exemple) – là où ce n'est pas dangereux, bien sûr – est un enfant intelligent musculairement. C'est ça qu'il doit devenir. Et dès qu'il pourra, maintenant si déjà ça l'intéresse, qu'elle le laisse jouer avec l'eau autour du bidet.

Ce qu'il est important de savoir, c'est comment introduire l'enfant à la connaissance des choses permises et des choses dangereuses à toucher. On peut commencer à le faire avec le stylo de papa ou de maman, ou la boite de couture de maman, par exemple : on les regarde, on les observe bien, mais il ne faut pas les toucher. Il y a beaucoup d'autres choses aussi – ou plutôt certaines choses – que l'enfant ne peut toucher qu'avec l'aide de l'adulte. Ensemble, on apprend à les connaître et à les manipuler (vers dix-huit mois) : mais cela doit se faire progressivement, pas plus d'une demi-heure par jour, la mère expliquant tout avec des mots corrects, et seulement si ça intéresse l'enfant ; sinon, qu'elle ne le fasse pas (mais je crois que ça intéresse beaucoup les enfants).

Et peut-être est-il à l'âge d'écouter chanter des comptines, d'écouter raconter des histoires. A onze mois, l'enfant aime regarder des petits livres en étoffe et savoir ce qu'il y a sur chaque image.

Elle peut aussi lui faire reconnaître les personnes, l'emmener se promener, regarder les ouvriers qui travaillent en lui expliquant ce qu'ils font – toujours si ça l'intéresse –, parler avec d'autres personnes. Et surtout, qu'il soit avec d'autres enfants. Ce serait bien si elle pouvait trouver une amie qui ait un enfant du même âge : ils joueraient ensemble dans le parc si les mamans sont occupées, ou autour quand elles sont tranquilles.

Ou encore, qu'elle le laisse sauter sur un lit, par exemple, grimper dessus, en redégringoler. Tout cela, c'est de son âge. Mais pas tous ces jeux savants qu'elle veut lui faire faire et qui l'embêtent.

Il n'y a pas de belle main
(Enfants gauchers)

Un certain nombre de parents vous ont écrit pour vous parler des enfants gauchers. Voici d'abord une mère dont la fille de trois ans et demi est effectivement gauchère. Elle a toujours sucé son pouce et attrapé les objets de la main gauche. Pour manger, elle utilise la main gauche ; elle tape dans un ballon de la main gauche…

De la main gauche ou du pied gauche ?

Du pied gauche. Et de la main gauche, quand elle l'attrape à la main.

Elle est vraiment gauchère.

Maintenant, elle dessine de la main gauche et écrit « de droite à gauche ». Sa mère ne veut pas la contrarier. « De temps en temps, on essaie de lui faire exercer sa main droite, mais on se rend vite compte que ce qu'elle fait est très malhabile. D'un autre côté, elle commence à confondre "avant" et "arrière", "dessus" et "dessous", "matin" et "soir", "demain" et "hier". C'est une enfant qui, par ailleurs, a parlé très vite, s'exprime bien ; mais je me demande si cette espèce de confusion – à la fois, donc, dans sa façon d'écrire et dans son langage – ne vient pas du fait qu'elle a toujours été très lente et que, moi, je l'ai toujours un petit peu bousculée. » La mère vous demande si cela peut aboutir à une dyslexie ?

Il y a là beaucoup de problèmes différents. Cette petite fille a l'air d'être en opposition avec le sens de l'écriture.

Or, ça ne va pas tout à fait avec la « gaucherie », car il y a des enfants qui ont cette difficulté tout en étant droitiers. Elle parait être opposée à ce que « en haut » soit en haut et « en bas » en bas… Elle voudrait que demain soit hier. Il semble qu'il y ait là une attitude affective d'opposition qui prend des aspects multiples, et qui serait en rapport, en effet, avec un « dérythmage » que la mère aurait provoqué en la bousculant sans cesse.

Elle écrit d'ailleurs : « On est très ouverts à la vie dans la famille, mais on a une vie très mouvementée. Il faut arriver à tout faire. » Et la lenteur de cette enfant, si vous voulez, était un obstacle.

C'est possible. Mais c'est un problème tout différent de celui des gauchers habituels. Je peux dire aux parents, en général, que tous les enfants se servent autant de leur main gauche que de leur main droite – à part les rigoureux droitiers précoces, qui sont assez rares. Généralement, les enfants se servent des deux mains, des deux pieds. Plus ils se servent longtemps, dans tout ce qui est moteur, des deux côtés du corps pour devenir aussi habiles, mieux ça vaut. C'est pour cela qu'il ne faut pas parler aux enfants d'une bonne et d'une mauvaise main.

On peut très bien leur apprendre que, pour dire au revoir, on donne la main droite. Mais quand l'enfant donne la main gauche, il ne faut pas lui dire : « Donne ta belle main ! » Tout simplement, on donne la main droite, et l'enfant doit donner celle-là ; mais si on nous enseignait à donner la main gauche, nous y réussirions aussi bien : c'est une question de convention. Ce n'est pas que la main soit belle ou pas belle.

L'important est que l'enfant ne soit pas contrarié dans une structure neurologique qui s'établit lentement, au fur et à mesure de son évolution, et qui s'aperçoit avec l'adresse à écrire, avec l'adresse à jouer à des choses qui demandent du soin. Il faut être aussi heureux d'avoir un enfant gaucher qu'un enfant droitier. Peut-être sait-on qu'aux États-Unis certains outils sont fabriqués différemment à l'intention des droitiers ou des gauchers, ces derniers, dit-on, représentent trente-six pour cent des consommateurs.

C'est considérable, par rapport à la France.

Oui. En France, les gens sont obligés de s'adapter, d'être droitiers pour user de certains outils, ce qui n'est pas toujours commode. Ce qu'il faudrait, c'est que les enfants soient respectés dans leur « ambidextrie », c'est-à-dire qu'ils puissent travailler avec les deux mains aussi longtemps qu'ils le veulent. Mais non pas – quelle que soit leur main préférée – qu'on les autorise à écrire à contresens : les langues qui s'écrivent de droite à gauche, un droitier les écrit de droite à gauche ; donc, le sens de l'écriture n'a rien à voir avec la « gaucherie », n'est-ce pas ?

Cette enfant pose deux questions différentes : tendre la main droite, cela est obligatoire pour tous. Sinon, elle sera, dans l'avenir, mal vue, comme on dit, par certaines personnes : même si c'est idiot. Il vaut mieux ne pas se mettre dans la situation de faire mal juger son enfant pour une convention. De même, la convention d'écrire de gauche à droite en français est tellement importante que laisser l'enfant prendre l'habitude d'écrire de droite à gauche – qu'il soit gaucher ou droitier –, c'est le gêner pour l'avenir. Il vaut mieux lui dire : « Tu n'as pas écrit. Tu as dessiné. Je veux bien. Mais, si tu écris, c'est de gauche à droite. » Je crois qu'il faudra que cette mère demande conseil à quelqu'un. Cette enfant présente, sur la base apparente d'une latéralisation gauchère, une complication qui n'est pas due à cela. C'est autre chose. Peut-être veut-elle se donner une particularité ? Je ne sais pas. Mais, en tout cas, il faudrait qu'elle consulte… Et arrêter pile l'écriture de droite à gauche, car la petite serait très gênée plus tard.

Une autre lettre sur le problème de la gaucherie vient d'une enseignante. Sa fille a cinq ans et demi et utilise sa main gauche de préférence à la droite. La mère ne l'a jamais contrariée à ce propos. Elle écrit : « J'en ai parlé récemment à la psychologue de l'établissement où je travaille, qui l'a testée, et qui m'a dit, après le test, que finalement ma fille était ambidextre avec une légère prédominance à gauche. » La psychologue a donc conseillé de demander à l'enfant, avec douceur, mais de lui demander quand même d'utiliser sa main droite au maximum. C'est ce que la mère a fait. Seulement, maintenant, l'enfant va changer d'école. Et l'institutrice qui en aura la charge est d'un un avis différent. Elle, elle est d'avis de laisser faire. Alors la mère ne sait plus quel parti prendre. « Moi, à la maison, je la contrarie quand même légèrement, puisque je lui demande d'utiliser au maximum sa main droite. Et voilà qu'a l'école, on ne va pas lui faire la même demande. »

Ici encore, le problème ne semble pas avoir été creusé jusqu'au bout – enfin, jusqu'où je pense qu'il faudrait aller. Savoir ce que la psychologue a conseillé précisément à la mère et si c'est pour tout qu'elle voulait que l'enfant se serve de sa main droite ? Si c'est pour tout, c'est très mauvais. Mais non si c'est pour certains gestes, comme écrire ou donner la main droite – je l'ai dit tout à l'heure.

Intervient surtout ici une question d'œil. Les enfants écrivent tout près de leur nez, même s'ils ne sont pas du tout myopes, ils écrivent ou regardent les images de tout près, à dix centimètres de leurs yeux. Ils manipulent les objets tout près de leur visage, alors qu'ils voient très bien de loin. Il faut savoir qu'on peut être droitier ou gaucher de l'œil et même de l'oreille. Droitier de l'œil, de la main et du pied, c'est la formule de latéralisation du droitier complet. Or la psychologue a raison si la petite est à la fois ambidextre ou à petite dominance gauchère de la main, et droitière de l'œil. Si l'enfant est gauchère de l'œil, il est préférable qu'elle écrive de la main gauche jusqu'au moment où elle y renoncera d'elle-même. Généralement, les enfants droitiers de l'œil et gauchers de la main se corrigent tout seuls vers huit, neuf ans. Ils ne peuvent pas se corriger avant. S'ils le faisaient plus tôt, ils auraient le torticolis en écrivant ; parce que l'œil droitier et la main gauchère, ou inversement, ça oblige à avoir tout le temps le cou tendu quand on écrit, le papier tout près de son nez, comme le font les jeunes enfants. Vers neuf, dix ans, les enfants écrivent beaucoup plus loin du visage et ceux qui sont franchement ambidextres se rééduquent tout seuls. J'en ai vu cinq ou six qui se sont rééduqués ainsi, vers dix ans, parce qu'ils se sont aperçus qu'ils pouvaient écrire aussi bien de la main droite, et qu'après tout, c'était plus commode de faire comme tout le monde et que l'écriture était plus jolie.

Bref, je ne sais pas si la mère a bien compris ce que la psychologue avait dit. Il faut qu'elle sache si l'enfant est ou non droitière de l'œil. Si elle l'est, en effet – et si elle est assez habile de la main droite –, on peut l'aider à écrire avec cette main. Car il y a intérêt, quand l'enfant est petit, jusqu'à dix ans, que la main utilisée soit la même que l'œil directeur.

Pour résumer, il ne faut pas contrarier systématiquement un gaucher.

Mais naturellement ! Ce n'est pas sain, et cela peut être nuisible. C'est d'une structure neurologique qu'il s'agit. Contrarier un gaucher vrai peut entraîner une inhibition de son expressivité et fréquemment induire soit la maladresse de toute sa motricité, soit le bégaiement, soit plus profondément l'angoisse.

Voici enfin la lettre d'un père : « J'ai un garçon de quatre mois et demi et une fillette de deux ans et sept mois. Manifestement, ils se servent tous les deux plus souvent de leur main gauche que de la droite. Le bébé ne comprend pas encore très bien, mais, pour la fille, sa mère et moi lui faisons beaucoup de remarques. On lui dit que, pour faire quelque chose, on se sert de la main droite. » Mais elle a l'air d'avoir décidément beaucoup de difficultés motrices avec sa main droite. Elle ne peut pas, par exemple, pousser

*un objet suivant une direction précise avec cette main-là.
« Ça m'embête, écrit le père, je trouve ça grave, parce que
je ne connais aucun personnage de l'histoire, ou au moins
de l'histoire contemporaine, qui ait été gaucher. Ma femme
m'a dit avoir vu une femme-médecin se servir de sa main
gauche... J'espère qu'elle ne se trompe pas... » Ce monsieur a l'air, en somme, de faire une liaison précise entre
l'intelligence, le fait d'être droitier...*

...et la réussite sociale.

Je ne sais pas si c'est une question de réussite sociale...

Comme si c'était anormal d'être gaucher ! Eh bien, je l'ai
dit, ce n'est pas du tout exceptionnel. Il serait dangereux de
corriger un enfant spontanément droitier, pour le rendre
gaucher, il en va de même d'un gaucher pour le rendre droitier. Je ne comprends pas l'inquiétude de ce père. Je pense
que la difficulté majeure vient de ce que les parents ne peuvent pas montrer directement à leur enfant les gestes à faire
comme eux-mêmes les font. L'enfant doit s'identifier à
l'habileté de ses parents, mais avec la main qui est pour lui
la plus faible ; eux, donc, ne peuvent le conduire à faire
exactement comme eux. C'est peut-être ça. En tout cas, on
doit toujours se réjouir d'avoir des enfants qui sont comme
ils sont et qui, droitiers ou gauchers, n'essaient pas de faire
semblant d'imiter leurs parents. L'imitation est simiesque ;
l'identification, elle, est un processus symbolique et langa-
gier qui conduit à prendre des initiatives et à mener à bien
leur réalisation sans nuire ni aux autres ni à soi-même, en
particulier sans contrarier sa nature.

*Le père vous demande encore si c'est trop tard ou trop
tôt pour intervenir.*

Ce n'est ni trop tôt ni trop tard. Les enfants sont comme ils
sont, comme ils ont à être. Maintenant, on ne peut pas encore
dire, à deux ans et demi, que cette enfant ne deviendra pas

habile aussi de sa main droite. Elle est plus habile de la main gauche, ce qui la rend pour le moment nettement gauchère. Mais il est très possible que, vers quatre ou cinq ans, elle soit plus habile de la main gauche pour certaines choses, et assez habile, cependant, de la main droite ; elle serait alors à même de se servir de ses mains avec beaucoup d'adresse. Parce qu'un droitier qui n'est que droitier, et qui n'est pas habile de sa main gauche, est lui aussi souvent gêné.

L'aise, l'agilité, l'harmonie et l'efficacité de nos gestes viennent en fait de l'équilibre physiologique de tous les fonctionnements de notre corps, accordés aux efforts que demande la maîtrise motrice. Il s'agit de tout un ensemble (nerveux, squelettique, musculaire, circulatoire et viscéral). Or nous avons des organes viscéraux et sensoriels symétriques (et il ne s'agit pas seulement de nos membres supérieurs et inférieurs) : cette symétrie concourt à l'harmonie de nos mouvements, depuis les plus inconscients, comme les mimiques du visage, les mouvements du larynx, de la bouche et de la langue qui président à l'émission de la voix et de la parole, jusqu'aux mouvements les plus conscients que nous pouvons commander et exercer volontairement. Reste que, chez tous, un côté domine l'autre naturellement ; et que la précision n'est pas toujours du même côté que la force. On appelle droitiers ou gauchers ceux qui – justement – allient d'un même côté force, précision et habileté.

Que ce père, après cela, observe les sportifs dans les compétitions a la télévision. Il en verra beaucoup, et parmi les meilleurs internationaux en boxe, escrime, tennis, football, qui sont gauchers. Peut-être sera-t-il rassuré !

Ce sont les objets
qui sont à notre service
(Ordre ou désordre ?)

J'ai d'abord deux lettres, dont l'une qui vous demande de parler de l'ordre, et l'autre du désordre. J'ai pensé qu'on pouvait, avec les questions qu'elles posent, essayer de faire le point sur ce sujet, parce qu'il est vrai que beaucoup de parents aiment avoir une maison rangée, des mères surtout qui sont toute la journée chez elles et supportent assez mal le désordre. La lettre d'un médecin d'abord : il ne précise pas de quel enfant il s'agit, mais vous demande simplement : « Pouvez-vous nous conseiller sur la façon d'amener un enfant à être ordonné sans toutefois le rendre maniaque ? Autrement dit, comment lui apprendre à ranger ses affaires sans tuer sa spontanéité et en le respectant ? »

On ne peut pas amener un enfant à ranger avant quatre ans – pour un enfant doué, vivant et en bonnes relations avec le monde extérieur. Mais avant, il faut que l'enfant voie ses parents ranger les choses. Lui dire : « Écoute, je ne retrouve pas mes affaires parce que tu as dû y toucher. » Et, après avoir cherché avec lui : « Tu vois ! Tu les emmènes un peu n'importe où. » Il faut lui faire remarquer que sa vitalité, tout à fait inconsciemment, lui fait prendre les choses, les laisser à un endroit quand elles ne l'intéressent plus et s'emparer d'une autre chose : c'est ça, un enfant. On ne peut pas lui enseigner l'ordre avant quatre ans, mais on peut lui en parler avant.

Et après quatre ans, donc ?

Pour enseigner à ranger à un enfant, il ne faut pas le lui demander toute la journée (pendant qu'il est dans l'action, c'est impossible), mais à la fin d'une demi-journée. A l'heure du déjeuner, quand on range la pièce où l'on va se réunir pour le repas, on lui demande : « Tiens ! Aide-moi. Tout ça, ça va dans ta chambre. Tout ça, dans la mienne – s'il y a plusieurs chambres. Ça, dans tel placard, etc. » Mais, le soir, quand sa chambre est en désordre, il est impossible de tout ranger avant que l'enfant ne soit dans son lit ou près de s'y mettre. C'est au moment où l'enfant se range lui-même, range son corps dans son lit pour dormir, qu'il comprend que les choses, elles aussi, doivent être rangées, en tout cas, que cela n'est plus pour lui « contre nature », c'est-à-dire désagréable.

Ranger, ce n'est pas être maniaque de l'ordre. Cela veut dire que l'on met toutes les affaires dans un endroit réservé à l'enfant (un coin de la pièce, un panier, un casier à jouets, un placard). Il ne faut pas commencer à mettre telle chose à tel endroit, telle chose à tel autre : lorsque les enfants sont petits, ils ont besoin d'avoir un fatras personnel.

A quatre ans, l'enfant comprend très bien qu'il doit ranger. Et la mère peut, mais pas avant cinq ans, lui dire : « S'il y a des choses à toi qui traînent ailleurs que dans ta chambre, tant pis, je les confisque. Tu les mets toujours là où elles ne devraient pas être ; il ne doit y avoir de jouets à toi ni dans notre chambre, ni dans la salle à manger, ni dans la cuisine. » Dans la chambre de l'enfant, en revanche, on ne peut pas faire de l'ordre, sauf une fois par semaine, au moment du grand ménage.

Ce n'est que vers huit ans que les enfants rangent d'eux-mêmes. Avant, quelquefois, ils rangent leurs affaires scolaires, surtout s'ils sont plusieurs enfants – ils protègent leurs propres affaires des plus petits, ou des aînés qui voudraient les leur chiper –, à condition qu'on leur ait donné un coin particulier et, si possible, fermant à clé. Il est important que chaque enfant ait un coin à lui, surtout dans une famille nombreuse, où chacun puisse mettre ce qu'il a de précieux hors de la portée des autres, avec, par exemple, un cadenas – un cadenas à clé, ou à lettres. (Et qu'il ne dise pas aux autres où il met la clé du cadenas : ou alors, c'est qu'il aime qu'on vienne lui piquer ses affaires.) On ne peut pas enseigner le rangement autrement que par l'exemple – comme tout, d'ailleurs.

C'est un peu l'idéal que vous décrivez. Mais, si on a décidé d'inculquer l'ordre à un enfant avant quatre ans, cela risque-t-il, comme vous le demande ce médecin, de tuer la spontanéité chez l'enfant ?

Oui, cela risque de le rendre maniaque, comme écrit ce médecin, c'est-à-dire obsessionnel : le petit n'a pas la liberté de jouer comme un autre enfant ; il est un petit vieux avant l'âge pour ce qui est du rangement ; il a comme « besoin » que tout soit à sa place ; c'est comme si son corps était dérangé ; il se sent mal à l'aise dans sa peau dès que les choses ne sont pas rangées. Et ça, c'est un signe obsessionnel.

Un enfant est, au contraire, bien dans sa peau avec tous ses jouets, livres, vêtements en désordre autour de lui. A condition, bien sûr, que le père ou la mère ne soient pas maniaques et ne le grondent sans cesse à ce propos : ce qui signifie qu'ils n'aient pas la manie de l'ordre et ne veuillent pas la lui imposer. Ce qui crée un dommage, parce que les gens maniaques, intolérants aux surprises et aux mouvements de la vie, sont tout à fait mal à l'aise dans les relations sociales – qui dérangent toujours. Or, l'important, c'est la relation. Les objets sont faits pour servir à la relation, dans le jeu et en suscitant l'intérêt. Ils ne nous commandent pas. C'est nous qui nous en servons.

Après l'ordre, parlons un petit peu du désordre. Une correspondante vous demande si, à votre avis, le désordre est un simple trait de caractère et s'il dépend de la seule volonté du sujet d'y remédier – ou bien s'il peut être constitutif d'une personnalité ? Dans ce cas, on peut difficilement

*demander à quelqu'un en qui le désordre est profondément
implanté, d'y remédier. Elle précise qu'elle a trois enfants,
un de trois ans et un de neuf ans, qui sont, dit-elle, « assez
réussis pour l'ordre », et un de dix ans et demi très désordonné. Son mari est, lui aussi, très désordonné. Elle écrit :
« C'est un homme merveilleux. Il est très minutieux dans
son métier, mais à la maison c'est épouvantable. Je ne suis
pas du tout une mère torchon-balai. J'aime simplement
pouvoir retrouver quelque chose que je cherche chez moi.
Et je n'ose pas trop demander. » Un jour, son fils de dix
ans et demi, après avoir rangé sa chambre avec sa mère,
lui a dit : « Tu sais, je n'aime pas ma chambre comme ça.
Quand elle est rangée, je m'y sens seul, isolé. Les jouets,
quand ils sont étalés par terre, sont un petit peu comme
mes amis. »*

Le fils aîné veut certainement s'identifier à son père. Ce
dernier donne un exemple de désordre, et ça fait partie,
pour l'enfant, de la façon d'être de son père. Je crois qu'il a
dû l'entendre dire : « Moi, je n'aime pas quand c'est rangé
comme ça. Je ne me sens pas dans la vie, etc. » Il fait comme
son père : ce n'est pas étonnant. Mais peut-être aussi a-t-il
la même nature que son père. Si la mère range davantage,
l'enfant s'y mettra un peu plus que son père, parce que ça
doit le gêner quelquefois, le père. C'est vrai qu'il y a des
gens qui perdent une bonne heure par jour à cause de leur
propre désordre… Et qu'il y en a d'autres aussi qui passent,
chaque jour, une bonne heure à ranger inutilement des
choses qu'ils pourraient très bien avoir autour d'eux.

Ce qui m'intéresse dans ce que dit ce garçon, c'est qu'il
aime bien que les choses soient par terre. J'ai souvent
remarqué que les enfants aiment que le sol soit jonché de
leurs petites affaires personnelles. Ça m'a toujours étonnée,
car, moi, je n'aime pas que les choses soient par terre, mais
à ma portée, sur une chaise. Mes chaises sont souvent
encombrées quand je n'ai pas le temps de ranger ; mais je
ne laisse rien par terre, ou alors, c'est que je n'ai plus de
place sur les chaises ! Mais les enfants ne sont pas comme

ça. Il faut dire qu'une chaise, pour un adulte, c'est peut-être comme le sol pour un enfant. Je n'en sais rien.

En tout cas, il faut bien éduquer les enfants, et ce n'est possible que par l'exemple. Alors, cet enfant-là est pris entre l'exemple d'une mère qui ne range peut-être pas trop et d'un père qui est très désordonné. Il apprendra à ranger ce qui lui est précieux quand il voudra le défendre de ses frères et sœurs. Là, nous revenons au sujet précédent : qu'il ait une place qu'on peut fermer à clé. La maman lui dira : « Les choses que tu veux retrouver, débrouille-toi pour les retrouver. » Et puis, pour le reste, que la mère, une fois par semaine, pousse un coup de gueule pour qu'on range un peu.

Chose curieuse, c'est vers quinze ans que l'ordre devient tel qu'il doit être pour chaque adulte ; ce n'est vraiment qu'à cet âge que les gens apprennent à ranger d'une manière qui n'est ni compulsive ni maniaque, mais pour que leur vie en soit facilitée. Avec leur ordre à eux ! Chacun a le sien. C'est pour cela qu'une mère ne peut pas imposer à son enfant son type d'ordre. Chacun trouve le sien vers quatorze, quinze ans.

Mais alors – je reviens à la question du désordre –, trait de caractère, ou élément constitutionnel et inguérissable ?

Ni l'un ni l'autre : façon de vivre. Est-ce qu'on a du désordre dans sa pensée ? Il y a des gens qui sont très ordonnés dans leurs pensées et désordonnés dans la vie pratique. D'autres pour qui c'est le contraire. Je ne peux pas dire. Je n'en sais rien.

Une troisième lettre à propos de l'ordre et du désordre. Une réflexion, plutôt. Vous avez d'abord jeté un coup d'œil sur l'écriture et dit que l'auteur était certainement très jeune d'esprit. Or, cette personne est institutrice honoraire de maternelle. Et elle vous apporte un témoignage…

…oui, très remarquable.

…qui, je crois, vaut qu'on y consacre pas mal de temps. D'abord, elle écrit : « Il y a deux sortes de désordre. Le vrai : on cherche quelque chose, et on ne sait plus où c'est. On n'en trouve plus que la moitié… » Elle écrit que ça, c'est un vice, de la paresse, de la bêtise intellectuelle.

Oui. C'est un désordre intérieur qui se manifeste à l'extérieur. Et dont les gens souffrent.

…et puis l'autre, que nous appelons désordre, nous, les adultes, quand il s'agit des enfants, et qui n'en est pas. Et elle raconte une anecdote de l'époque où elle était jeune suppléante : « J'arrive dans une maternelle pour un court remplacement. On me donne la classe des bébés… »

Des plus jeunes.

Des enfants, donc, entre deux et trois ans. « … La directrice de l'école me dit : "Vous voyez, il y a des casiers ; le soir, ils rangent leurs ours et leurs seaux comme ceci : un casier par enfant, un ours et un seau par casier." Le soir arrive – les enfants ont un flair prodigieux, ils ont dû sentir quelque chose –, je leur demande d'aller ranger leurs affaires : ils mettent alors tous les ours d'un côté, par deux, et de même tous les seaux de bois de l'autre. J'interviens : "Ce n'est pas comme cela que vous rangez d'habitude ?" Et ils répondent : "Mais c'est parce qu'ils s'ennuient !" »

Les nounours ?

Oui.

Mais, bien sûr !

« Ça m'a paru tout à fait valable, continue-t-elle. J'ai laissé faire. Voilà tous les ours assis face à face. A quatre heures, la directrice entre et dit : "Mais comment ? Et les bonnes habitudes ? Et l'ordre ?" Moi, je lui explique :

"C'est parce qu'ils pensent que les ours s'ennuient !" Je dois dire que la directrice m'a regardée avec inquiétude. Puis, elle a dit : "Allez ! Remettez-moi tout cela comme il faut !" » Et notre institutrice conclut : « *Tant pis pour les bébés qui étaient victimes, chaque soir, d'une agression affective, parce qu'on les obligeait à n'être pas gentils avec leurs ours.* »

En somme, pour cette directrice, les choses étaient plus importantes que les enfants. Mais justement, pour les enfants, il n'y a pas de « choses ». C'est ce que je disais aux mamans : il ne faut pas tout ranger, le soir, avant que l'enfant ne se soit endormi, ou en train de s'endormir, parce que les choses qui sont par terre sont des choses vivantes, qui font partie de son cadre. Là, pour ces petits enfants, les nounours, c'est ce qui restait à l'école après eux. C'est pour être ensemble qu'on va à l'école. Ce n'est pas pour être dans un casier. « Séparez-vous. Ne communiquez pas ! » Combien de fois a-t-on entendu cela dans les classes primaires ? Quand un enfant est en train de faire un devoir, il ne faut pas qu'il dise à son voisin ce qu'il écrit. Pourtant, la classe, c'est fait pour communiquer. Et les ours, même les ours, il ne fallait pas qu'ils communiquent ! C'est terrible !

Mais enfin, est-ce que ça dérangeait ?

Dès lors qu'ils étaient tous bien rangés ensemble ! Vraiment !

Voici la suite : « De la même manière, les adultes – une mère, par exemple – pensent de quelque chose : "Ça traîne". Et l'enfant, lui, pense : "Ça se fait voir." » Quand on aime quelque chose, on aime le voir…

Mais oui.

… Quand les jouets ont disparu, c'est la pire des choses, parce que cela veut dire que plus rien n'existe. Tandis que,

quand un jouet est sorti, il est vivant [c'est ce que vous disiez il y a un instant] et participe à la vie de l'enfant, même si celui-ci ne s'en sert pas. Vous savez, j'enrage quand je vois sur des journaux des idées de décor pour chambre d'enfants. »

N'est-ce pas ce que j'ai dit à propos des meubles d'enfants ? On m'a répondu : « Oui, mais les fabricants de meubles d'enfants, que vont-ils trouver comme acheteurs avec ce que vous racontez ? » C'est vrai qu'avec des caisses ornées par le papa, on peut si bien faire des petites maisons, des garages pour les autos. C'est le rôle des pères, justement, de bricoler des choses vivantes, qui sont des lieux de rangement pour les enfants, mais à leur portée, pas trop hauts, des endroits adéquats pour mettre les jouets et les retrouver.

La lettre poursuit – c'est un témoignage vraiment intéressant :
« Il faut quand même expliquer aux gens, aux maniaques de l'ordre pour les enfants – de l'"ordre" – que nous ne sommes pas limités par notre peau. Moi, par exemple, ma bibliothèque, je la considère un peu comme l'annexe de mon cerveau. J'aurais envie de souligner tout cela, parce qu'on m'a tellement dit dans ma jeunesse : "Jette-moi toutes ces saletés !" Si j'avais écouté, je n'aurais pas cette magnifique collection de journaux historiques dans laquelle je peux me replonger maintenant que je suis un peu plus âgée. J'ai toujours reproché aux parents de ne pas avoir le sens de la hiérarchie des valeurs. Le ménage, ce n'est pas la priorité indiscutable. » Elle cite l'exemple d'un enfant qui rentre de colonie de vacances : *« La première chose que les parents notent, c'est que sa valise est beaucoup plus lourde que quand il est parti. "Qu'est-ce que tu as ramené ? (L'enfant avait rapporté des pierres, parce que le moniteur, un étudiant en géologie, avait su intéresser les enfants aux cailloux.) Tu vas en garder une ou deux en souvenir. Que veux-tu qu'on fasse de cela ?" Et le reste est allé à la poubelle ! »*

C'est refuser le respect à la personnalité naissante d'un enfant.

Elle remarque encore que, quelquefois, les parents exigent l'ordre parce qu'ils n'ont eux-mêmes pas assez d'imagination. « Mais, s'il y a trop de voitures dans une chambre, achetez un garage ! »

Ou que le père en fabrique un, avec une caisse en carton qu'il orne, qu'il peint. Ça l'amusera beaucoup et l'enfant sera si heureux que papa ait fabriqué le garage de ses voitures. Ce n'est pas la peine d'acheter des garages.

Elle poursuit : « Pourquoi les parents se plaignent-ils que les enfants jouent par terre ? Par terre, c'est la plus grande surface possible. C'est normal qu'un enfant traîne par terre. Une table d'adulte, c'est trop haut. Une table d'enfant, c'est trop petit, c'est mal foutu, ça ne sert à rien. »

Mais oui ! Est-ce que nous pourrions faire quelque chose, nous, avec une table qui serait à la hauteur de notre nez ? La table est à hauteur du nez de l'enfant.

Et elle termine en donnant quelques conseils pratiques aux parents : « Les enfants s'opposent souvent aux ordres. Par contre, ils sont très, très perméables aux exemples. Vous n'avez qu'à leur expliquer que, quand on range, au moins, on trouve ce qu'on cherche ; et leur montrer, par exemple, que l'aiguille est déjà enfilée, prête à coudre, etc. »

Oui. Que les outils sont dans la boîte à outils et qu'on les y remet quand on a fini de travailler… Mais cela, il faut que les enfants voient leurs parents le faire. Ils le feront parce que les parents l'auront fait ; pas tout de suite, mais l'exemple portera avec le temps.

Quoi ajouter d' autre ?

Que cette lettre est merveilleuse et que, pour ce témoignage, son auteur doit être remercié.

(Quelques semaines plus tard)

*Un certain nombre d' objections sont arrivées à ces
réflexions sur l' ordre et le désordre. Cela semble concerner
énormément de parents…*

Et ça se discute.

*Effectivement. Certains trouvent même que vous avez fait
une sorte d' apologie du désordre, que vous auriez dû être,
disons, plus directive et déclarer : « Le désordre, c' est
mauvais. » Je ne m' arrêterai pas à ceux-là. D' autres vous
posent des questions précises en se référant à certains
points où vous les avez un peu étonnés.*
*Par exemple, vous avez dit que les enfants devaient avoir
un endroit fermé à clé par un cadenas. A ce sujet, on vous
écrit : « Je suis mère de quatre enfants, de neuf ans, sept
ans et demi, six ans et quatre ans et demi. Je comprends
qu' il faille que chaque enfant ait un coin réservé. Mais
pourquoi parler de fermer à clé ? Ne vaudrait-il pas mieux
apprendre aux enfants à respecter le coin de l' autre tout en
sachant, justement, que ce coin est accessible. » Cela don-
nerait, si vous voulez, plus de poids à l' ordre.*

Alors, ça, c' est l' idéal. Mais c' est extrêmement difficile
d' obtenir l' idéal, de but en blanc, car les enfants ont chacun des natures différentes et, surtout, il y en a qui en
envient beaucoup un autre – c' est un aîné qui regrette sa
petite enfance et voudrait les choses du petit ; c' est un petit
qui croit que ça fait grand de prendre les choses du grand.
Or il faut aider les enfants à se défendre sans violence si
possible, c' est-à-dire à avoir une défense passive. Avec un
placard qui ferme à clé, pas à clé mais au cadenas (et le

mieux, c'est un cadenas à lettres pour qu'on ne puisse pas perdre la clé ni la voler), les parents aident celui qui est tout le temps piégé par l'adresse d'un autre à chiper : « Les choses qui te sont précieuses, tu peux, de cette façon, les mettre à l'abri. Maintenant, débrouillez-vous et tolérez-vous les uns les autres. »

Ce que dit cette dame de l'apprentissage du respect des biens d'autrui est juste. Mais il y a vraiment des enfants qui sont persécutés par des frères et sœurs qui leur volent leurs affaires…

Donc, inutile de tenter le diable…

J'ajoute que ce placard fermé est aussi le signe que chacun se défend d'être violé dans les contacts avec autrui. Il y a ce qu'il permet et ce qu'il ne permet pas. C'est symbolique. Bien sûr, quand les enfants sont grands, ce n'est plus nécessaire. Ça l'est, justement, quand ils sont petits, pour qu'ils apprennent ce que j'appelle une dépense passive.

Et ce n'est pas tout : ils doivent comprendre que, quand ils se plaignent d'un autre qui leur a pris leurs affaires, c'est pour faire bisquer maman, pour qu'on gueule, qu'on se dispute, que l'autre soit grondé, etc. Tout cela ne doit plus exister. Ça laisse aux parents une grande sérénité et ça leur permet surtout de donner l'exemple, en respectant, eux aussi, leurs enfants, sans avoir l'air tout le temps touchés parce que l'un d'eux est touché. Car, quand un enfant crie et que sa mère, tout de suite, attaque celui qui le fait crier, c'est comme si l'enfant qui a déclenché la réaction de la mère faisait partie d'elle. Les enfants ne comprennent pas, dans ces conditions, qu'ils sont eux-mêmes face au monde dont le petit frère fait partie, dont la mère fait partie. Qu'elle dise : « Eh bien, défends-toi, débrouille-toi. » Et qu'elle donne l'exemple, la première, du respect vis-à-vis du bien d'autrui, de la tolérance aussi pour ceux qui ne sont pas tous ni toujours vertueux ! Il y a beaucoup de petits et de petites saintes-nitouches qui empoisonnent la vie de leurs frères et sœurs avec des mères prêchi-prêcha : « Mais

voyons, il est petit, sois gentil avec lui », « Comment ! des
frères et sœurs qui se chamaillent ! Il faut s'aimer entre
soi ». Non, un placard à soi, un tiroir à soi, la défense passive, quoi, c'est beaucoup plus moral et plus efficace. Et
puis c'est un coin cachette aussi vis-à-vis des grandes personnes, pour ses petits trésors, son journal, ses souvenirs,
ses économies…

*Ici, on conteste gentiment l'âge que vous avez indiqué
pour l'apprentissage de l'ordre chez l'enfant : « J'ai lu dans
les livres de Maria Montessori que la période de sensibilité
à l'ordre chez les enfants se situait entre dix-huit mois et
deux ans. » Ce n'est pas l'âge que vous avez évoqué…*

Pas du tout. C'est très intéressant cette réflexion de Mme
Montessori. Il ne faut pas oublier qu'elle était italienne et
que, en Italie, les enfants grouillent les uns sur les autres
dans les familles. Ils ne savent plus où leur corps s'arrête et
où celui des autres commence. Ils couchent tous ensemble.
Il y a de petits espaces. Et ils sont élevés très nombreux
ensemble.

C'est une question de civilisation.

La question est de savoir où les autres s'arrêtent et où soi-
même l'on commence. Ce qui est très vrai, c'est que, par
exemple, quand des parents reçoivent des adultes, si ceux-
ci laissent leurs vêtements dans un endroit (la dame son sac,
le monsieur son chapeau…), on est sûr que l'enfant de dix-
huit mois va rapporter le chapeau, la canne ou le manteau
au monsieur, le sac à la dame… Parce que, pour lui, tout ce
qui appartient à une personne fait corps avec elle. Mais cela
doit être dépassé, justement : ce ne sont pas les objets qui
font l'unité d'une personne, c'est sa maîtrise des objets à
distance, des objets qu'elle laisse quand elle n'en a pas
besoin et qu'elle retrouve quand elle en a besoin. C'est
cette notion qui est importante ; or elle s'acquiert plus tard.

Entre dix-huit mois et deux ans, deux ans plus deux ou trois mois, tout ce qui appartient à une personne (ses vêtements, etc.) est vu comme si c'était la personne. C'est presque fétichiste. Et, à la période que Mme Montessori indique, là, il ne s'agit pas de l'ordre, mais de fétichisme de l'espace personnel. Il ne s'agit pas d'interdire ce mode de dépense contre un sentiment de dispersion. Mais ce n'est pas à cultiver.

Cette même personne a des enfants qui ne rangent pas, mais ils sont tout à fait capables de le faire quand on leur explique que c'est nécessaire…

C'est-à-dire de temps en temps.

… Voilà tout le sens de la question : peut-on à la fois être ordonné et ne pas avoir le sens du rangement ; avoir le sens du rangement et ne pas être ordonné ?

On peut avoir le sens du rangement et avoir la flemme de ranger. Se dire : « Pourquoi ranger ? Ce n'est pas la peine. » Et, en effet, ranger c'est se mettre au service des objets pendant une heure où l'on pourrait faire autre chose de plus passionnant, n'est-ce pas ? C'est un peu ressenti comme ça par les enfants. C'est pourquoi il faut leur dire, de temps en temps : « Eh bien, maintenant, il y a un peu trop d'affaires partout, il faut que vous rangiez. » Ils le font très bien quand on ne leur demande pas sans arrêt, de façon lancinante : « Range… Range tes affaires, range tes affaires. » Il n'y a rien qui puisse dégoûter davantage du foyer familial que d'entendre toujours la même chose. Puisque cela ne sert à rien, pourquoi continuer ? Mais, une fois de temps en temps, et surtout, avec l'aide de maman, c'est nécessaire aux enfants et au bon ordre d'une maison, pour qu'on y vive.

Je voudrais encore ajouter, en me référant à ce que je disais tout à l'heure du fétichisme, que les objets que l'on met un peu partout peuvent être, pour l'enfant, une manière d'étaler son territoire personnel, de faire que celui-ci soit partout. C'est à dessein que l'enfant met ses jouets dans la chambre de ses parents, pour bien marquer qu'il y est ; il veut montrer qu'il maîtrise le lieu, par leur intermédiaire : pour être partout chez lui.

J'en profite pour parler ici de ces enfants qui se trompent au point de dire « chez moi », alors qu'ils sont « chez nous ». Je ne sais pas pourquoi les parents laissent dire cela, quand eux, généralement, disent « à la maison » ou « chez nous ». L'enfant dit « chez moi », parce qu'il veut être le petit maître ou la petite maîtresse de la maison.

Faut-il essayer de corriger ce défaut ?

Oui. Que les parents demandent à l'enfant : « Mais enfin, pourquoi dis-tu "chez moi" ? Tu sais bien que c'est chez nous ici ? Chez toi, c'est ta chambre – si l'enfant en a une –, c'est ton placard. Mais, partout, c'est chez nous, ce n'est pas chez toi. » Il faut toujours que les mots soient justes. Quand on y pense, ne pas gronder l'enfant, mais remettre les choses en place, car qui ne dit rien consent : peu à peu, l'enfant étale sa possessivité totale et ne sait plus du tout, ensuite, la limite entre ce qu'il a à acquérir en se développant et ce qui lui est dû (parce que ça appartient à ses parents et que c'est chez lui).

Il y a aussi le désordre des objets qui n'intéressent plus – dont j'ai déjà parlé pour l'enfant de moins de quatre ans – et que chacun laisse à l'endroit où il s'en est désintéressé pour aller s'occuper d'autres objets. C'est un désordre tout à fait différent de celui qui consiste à affirmer un peu partout son territoire. C'est plutôt une négligence et une trop grande vitesse du désir qui font qu'on ne va pas ranger l'objet précédent. C'est là, comme je l'ai dit, que l'éducation peut jouer : « Tu vois, tu joues avec cela maintenant ; quand tu voudras rejouer avec les jouets que tu as laissés et que tu as éparpillés un peu partout, tu ne pourras pas. Allez, ramassons. » Il faut aider l'enfant. C'est la mère et l'enfant qui rangent. A ce moment-là, il en est très content.

Mais, avant tout, je le répète : ce sont les objets qui sont à notre service et pas nous qui sommes au service des objets.

Une autre lettre sur la question de l'ordre. C'est une femme qui est secrétaire. Elle est très désordonnée et garde tout, même les papiers, les ficelles… « Évidemment, ça donne une très mauvaise image de moi, écrit-elle. Je suis en opposition avec mon grand fils qui, lui, est exceptionnellement maniaque du rangement. Il a de grosses difficultés de relations avec moi. Moi, je suis très attachée aux choses, mais je n'ai pas d'ordre. Y a-t-il un moyen d'améliorer nos relations ? »

Je crois qu'ils ont tous les deux des difficultés un peu contradictoires. Il y a là quelque chose à quoi je ne peux pas répondre. C'est une façon de vivre entre eux. Il faut bien qu'il y ait des tensions entre mère et fils. Ils les trouvent à propos de l'ordre, mais ils les trouveraient à propos d'autre chose. Chacun est comme il est. Voilà.

Une dernière lettre, pour terminer, sur le désordre. Elle commence par un témoignage qui, je pense, vous fera plaisir. C'est une mère qui vous écrit : « Vous avez dit que c'étaient les enfants qui fabriquaient leurs parents petit à petit. Je suis tout à fait d'accord ; quand ma petite fille est née, je me suis fait la réflexion que les bébés sont de vrais bébés dès le début, et que les parents, eux, ne devenaient pas de vrais parents du jour au lendemain, que c'était toute une évolution. » Elle vous demande ensuite de parler du désordre : elle représente peut-être un cas particulier, mais elle pose une question très générale. Elle écrit : « Moi, je ne suis pas désordonnée dans l'espace mais dans le temps, c'est-à-dire que je suis absolument incapable de me tenir à un horaire. Mon bébé [elle a un enfant de quatre mois] a été nourri à la demande, tout simplement parce que je n'arrivais pas à respecter un horaire. Curieusement, les réveils, les montres, les pendules semblent se détraquer à mon contact. Je ne suis jamais à l'heure et je me demande si cela est bon pour mon bébé. Je lui donne à manger quand elle a faim ; je la baigne quand elle est sale. Et, de temps en temps, le matin, je l'emmène promener parce que, ainsi, je peux faire autre chose l'après-midi. » Elle a lu ou entendu dire souvent par des pédiatres, des grands-parents aussi, qu'un bébé a besoin d'horaires réguliers. On – les grands-parents en particulier – lui dit qu'elle est en train de « gâter » définitivement son enfant en accédant à ses moindres désirs, faute de régularité. Elle remarque, avec un peu d'humour, que sa fille lui paraît « délicieusement normale pour l'instant malgré tout », mais elle vous demande si son attitude peut avoir des conséquences pour l'avenir.

Je trouve cette lettre très intéressante parce qu'elle montre que les gens ont une idée abstraite des parents et habituent leur enfant à avoir une vie réglée par la pendule. Or il n'y a pas très longtemps que les gens vivent en fonction de l'heure. Longtemps, les humains ont vécu selon leurs besoins et les saisons. Maintenant, par exemple, les enfants doivent boire des jus de fruits tous les jours ! Mais quand il n'y avait pas nos moyens de locomotion, il n'y avait pas de fruits frais l'hiver. On se débrouillait bien sans le sacro-saint jus d'orange que les mères croient indispensable de donner à leurs enfants. Et les gens n'étaient pas dévitaminisés pour autant. Pour en revenir à la question de cette personne, je crois que chaque enfant a la mère qui lui convient quand c'est celle qui l'a porté. Il ne faut pas qu'elle s'inquiète pour son bébé. Peut-être est-ce gênant vis-à-vis de son mari, de ses amis et connaissances, de ne pas avoir d'horaires, si par exemple elle les invite à déjeuner à treize heures et que le repas n'est prêt qu'à quinze heures ; ils protestent, ils n'ont plus faim tellement ils ont eu faim… Je n'en sais rien. Mais le bébé qui a eu cette maman qui l'a porté selon ses rythmes à elle et sa façon d'être avec son corps, ce bébé est normalement éduqué par cette mère qui est la sienne. Ce qui serait beaucoup plus grave, c'est si, maintenant, ce bébé allait en crèche, parce que son rythme humanisé, celui de la relation à sa mère qui est tout à fait régulier pour lui, serait changé et le déréglerait. Maintenant, si cette fillette a, comme on dit, « racé » du côté de la famille de son père et si, dans celle-ci, les femmes ont des rythmes alimentaires et des rythmes de vie réguliers, quand elle aura deux ans et demi, trois ans, elle réclamera, en houspillant sa mère : « Maman, il faut sortir. Maman, j'ai faim. » Et alors, peu à peu, la mère s'accoutumera, elle. Comme elle aura déjà été éduquée par son bébé, elle sera éduquée par sa fillette. Puis, si cette dernière, ensuite, dans la société, est gênée par rapport aux autres, elle l'aidera à composer avec ce dérythmage naturel. L'affection qu'on porte aux autres aide à faire des concessions ; je crois d'ailleurs que cette femme le fait très bien – eh bien qu'elle continue !

Que les grands-mères se rassurent donc : ce ne sera pas une enfant gâtée, comme on dit ?

Ce ne sera pas plus une enfant gâtée que sa mère, qui ne semble pas être une femme gâtée. Elle a ses rythmes propres, avec le soleil : ils sont différents des autres. Elle n'est pas réglée sur la pendule, mais sur elle-même. Il y a des gens comme cela. Il faut s'accepter tel qu'on est et comprendre que les chiens ne font pas des chats ; cette maman n'a pas pu faire un autre enfant que celui qu'elle a porté en elle et qui est habitué à ses rythmes, en s'en trouvant fort bien. Alors, pour le moment, tout va bien. Cette femme a assez d'humour et de respect de son enfant pour que cela continue le jour où l'enfant devra rythmer ses journées sur le temps que l'école lui imposera. On n'en est pas là !

Tu vois, j'avais envie
de te donner une fessée
(Violence des enfants, violence des parents)

Il faudrait parler de la fessée et du problème de la violence…

De la violence des parents ?

…vis-à-vis des enfants. Voici une mère qui a du mal à se maîtriser elle-même. Auparavant, il faut expliquer qu'elle a trois enfants qu'elle adore, qui sont très beaux et qui ont tous été désirés : une petite fille de cinq ans et demi, et deux garçons de trois ans et sept mois. A la naissance du dernier, la petite fille s'est mise à détester son « puîné » c'est-à-dire le frère qui venait après elle, « parce que, a-t-elle expliqué, il n'est pas beau ». Quand sa mère lui a dit : « Mais enfin, il ressemble à papa, donc il est beau », la petite fille s'est mise à pleurer et a répondu : « Ce n'est pas vrai. C'est moi qui ressemble à papa. Lui, il n'est pas beau. Je ne l'aime pas. » Ça, c'est un petit peu le tableau de la famille.

La vraie question maintenant. La mère écrit : « Je me sens parfois dépassée par les événements. Je perds patience, ne peux plus me contrôler. Je bous et je frappe. » Elle précise : « Je suis effrayée de mes réactions de violence. A certains moments, je déteste ma petite fille. Je le lui montre en la secouant, mais aussi en la regardant avec, comme on dit, "un regard mauvais". Vous vous rendez compte ? Moi qui rêve d'harmonie et d'équilibre, je me laisse aller à la violence et à la brutalité. » Elle est d'ailleurs convaincue – c'est comme ça qu'elle termine sa lettre – que la fessée est surtout le signe d'un échec.

Il y a deux faits intéressants dans cette lettre. D'une part, la petite fille ne veut pas admettre que son premier frère ressemble à son papa. Probablement parce que la mère ne lui a pas expliqué clairement le sens du mot « ressembler ». L'enfant a dû entendre dire autour d'elle qu'elle ressemble à son père (« Sa fille, c'est son portrait tout craché », comme on dit), c'est-à-dire quoi ? Que le visage de la petite fille ressemble à celui du papa petit, aux photos du papa petit. Mais la mère n'a pas spécifié : « Bien sûr, vous ressemblez tous à votre papa, puisque vous avez le même. Mais ton frère, qui est un garçon, deviendra un père quand il sera grand. Toi, qui es une fille, tu deviendras une mère. Vous n'avez pas le même sexe. Ton frère a le même sexe que ton père. Toi, tu as le même sexe que moi. Tu vois, ce n'est pas pareil, même si tu ressembles à ton père comme, moi, je ressemble à mon père aussi. » Les ressemblances, pour l'enfant, ce sont celles des visages. Celle du sexe, si on ne la lui dit pas avec des mots, il ne la comprend pas. C'est comme si ce frère, simplement parce qu'il est un garçon, avait pris à la petite fille sa qualité d'enfant de son père. De plus, l'enfant a dû se sentir très frustrée de ne pas avoir une petite sœur à la naissance du troisième, pour qu'on soit plus fortes du côté des femmes dans la famille. Enfin, elle est certainement jalouse de sa maman qui a eu un bébé et elle en voudrait un aussi ; car, à trois ans, toutes les petites filles rêvent de cela.

A plus forte raison à cinq ans et demi.

Elle n'a peut-être pas été jalouse à la naissance du premier petit frère, parce qu'elle n'avait que deux ans ; mais pour celui-là, à cinq ans et demi, oui. Car, il y a deux ans qu'elle attend que son papa lui donne un bébé : et il faut qu'elle y renonce. Évidemment, c'est difficile.

Il est certain que ce n'est pas en donnant des fessées que la mère va s'en sortir.

Elle dit : « Ça me désespère. »

Eh bien, est-ce qu'elle ne pourrait pas, quand elle sent au bout de ses mains la fessée qui arrive, se précipiter dans une autre pièce et, là, taper sur un coussin ? Ce serait bien plus drôle. Et, à l'enfant qui assisterait à cela, elle dirait : « Tu vois. J'avais tellement envie de te donner une fessée que je la donne au coussin. » Si l'enfant veut s'amuser, elle battra les coussins avec sa mère et ça se terminera dans les rires. Je crois qu'il faut que cette femme arrive à tourner sa colère en amusement. Parce que « rire aux éclats » est aussi une manière de terminer les histoires. Il ne faut pas tout prendre au tragique.

Une parenthèse pour remarquer qu'il y a beaucoup de lettres de parents un peu « rétro », si vous voulez, qui pensent que maintenant on va trop loin dans le laisser-aller et qu'il faut quand même, de temps en temps, donner une bonne fessée.

C'est-à-dire que cela soulage les parents.

Avez-vous pratiqué la fessée, vous ?

Jamais. D'abord, j'en aurais été bien incapable. Je bousculais mes enfants par moments en leur disant : « Attention ! Aujourd'hui, je suis panthère noire ! » Ils souriaient et disaient : « Attention ! Maman panthère noire, ça va barder ! », et ils s'en allaient dans une autre pièce. Il y a des jours où on est énervé, bien sûr : il faut le dire aux enfants, les prévenir, et les mettre hors de la pièce où l'on se trouve. Et si, de temps en temps, on les bouscule un peu, ce n'est pas grave. Mais il faut essayer de ne pas en arriver à l'état de tension de cette maman. Je crois que, déjà, de me l'avoir écrit, ça l'aura aidée. Je sais, ayant été moi-même dans ce cas, qu'il est difficile d'avoir trois enfants rapprochés. Mais il faut arriver à les mettre hors de sa portée quand on se sent énervé comme ça.

Cette dame termine sa lettre en écrivant que l'attitude de sa fille et sa violence à elle l'inquiètent tellement qu'elle se

demande si elles ne devraient pas aller toutes les deux voir
un psychologue.

Sa fille, certainement pas ! Mais elle, peut-être pourrait-
elle parler avec une psychologue-psychanalyste. Pour la
petite, il faudrait trouver des activités de son âge. Qu'elle
ne soit pas tout le temps avec ses frères et sa mère. C'est
trop dur pour elle de voir sa maman s'occuper de bébés
bien à elle, et, elle, de ne rien avoir du tout. Que la mère
essaie de s'arranger avec une parente, ou une amie, et
même que l'enfant parte quelques jours ou aille coucher le
soir chez une petite amie. Ça arrangerait les choses. Et puis
que le père s'occupe de sa « grande fille ». Je crois que ça
soulagerait aussi la mère.

Voici un témoignage très différent, qui fait référence au
sadisme naissant des enfants. C'est une femme qui a, sur ce
sujet, un point de vue assez particulier et éloigné du vôtre.
Je crois qu'il reflète un courant de pensée de certains
parents. « Quand il avait cinq, six ans, écrit-elle, mon fils –
qui en a maintenant quinze – a, un jour, fait preuve de
cruauté envers notre petite chienne. Il lui a lié les quatre
pattes et l'a abandonnée sous la pluie. Alors, voilà ce que
j'ai fait. Aidée de ma mère, et bien que cela nous en coûte,
je lui ai attaché les pieds et les mains et l'ai laissé ainsi –
pas sous la pluie quand même – juste le temps de sécher
l'animal. » Et elle continue : « Depuis, il n'y a absolument
plus eu aucun problème. » Elle termine sa lettre en écri-
vant : « Ne nous prenez pas pour des tortionnaires. Il est
très dur d'infliger un sévice à son enfant, mais nécessité
oblige. » Moi, j'avoue que… Bon, c'est un témoignage. Mais
était-ce, selon vous, la meilleure solution ?

Elle dit dans cette lettre qu'il est devenu extrêmement
gentil et bon avec les animaux ?

Et avec les enfants aussi.

A priori, la punition me semble un peu effrayante. Cependant, le fait que la maman a eu beaucoup de difficultés à l'infliger à son fils corrige tout. Elle a agi en partant de l'idée qu'elle avait de son rôle, élever un être humain à devenir un être humain. C'est tout à fait différent du cas des parents qui mordent leurs enfants par vengeance parce que ceux-ci les ont mordus, et encore plus fort. Il y a, dans ce témoignage, deux choses à remarquer : d'abord, l'enfant était déjà grand, apte à réfléchir, il avait déjà près de six ans ; ensuite, il ne semble pas qu'il y ait eu un père, puisque c'est la mère et la grand-mère qui ont agi. Je crois que si le père avait été là, il aurait pu raisonner l'enfant. Ce qui serait intéressant, c'est que cette mère en parle aujourd'hui à son fils et de savoir si le fils se souvient de l'incident, s'il se rappelle l'époque où il était cruel avec les animaux et s'il pense qu'il y aurait ou non une autre solution pour d'autres enfants que lui. Parce que nous ne pouvons être aidés que par des témoignages sur ces cas-là.

Bien sûr. Cela dit, le sadisme à rebours des parents peut être un jeu dangereux ?

Oui, cela peut conduire l'enfant à recommencer parce qu'il prend un goût pervers aux sensations fortes qu'il éprouve tant en forçant qu'en subissant. Pour ce garçon qui était déjà « grand » et semblait très intelligent, cela s'est bien passé. Mais cette attitude est à proscrire absolument avec les très jeunes enfants. Car leur agressivité envers les animaux vient généralement de ce qu'encore plus petits ils se sont, à tort ou à raison, sentis « sadisés » de la part de grands enfants ou d'adultes trop exigeants : soit qu'ils aient séjourné à l'hôpital, comme livrés sans explications et sans défense à des soins dont ils ont souffert, soit pour de tout autres raisons, parfois seulement morales. Des récits ou des images de la vie ou de films leur sont peut-être restés en mémoire. Ce sont parfois aussi des enfants chétifs, mal à l'aise dans leur corps, rejetés par leur entourage, sans joies.

La même personne rapporte un témoignage analogue d'une de ses amies dont le fils, qui avait très peur des piqûres lorsque le médecin venait ou lorsqu'on le soignait, avait lui-même piqué, un jour, son chien à coups d'épingle : la maman lui en fit autant.

« Il a compris, écrit notre correspondante, ce qu'il avait fait, et c'est maintenant un charmant garçon de dix ans qui dorlote son chien. »

L'expérience, relatée par la personne qui nous a donné le précédent témoignage, est forcément vue sous le même angle, n'est-ce pas ? Mais peut-être cet enfant-là avait-il peur des piqûres parce qu'on ne lui avait pas expliqué que le médecin les lui faisait pour le soigner et que, pour soigner un chien, c'est le vétérinaire qui les fait. Là encore, la punition semble avoir porté, mais je ne dis pas que la méthode utilisée est la bonne. En tout cas, pour ceux-là, tant mieux ! Mais qu'on leur demande s'ils ont trouvé, à ce moment-là, que c'était le bon moyen[1].

---

1. Ces enfants n'ont-ils pas changé du fait de leur développement, et malgré les attitudes agressives de leurs éducateurs en réponse à la leur ? Le voleur volé, l'agresseur agressé... ça ne vole pas haut ! Des adultes demeurés enfants bien souvent et « passionnés », sans recul, sans compassion, qui appliquent la loi du talion... C'est triste, quand l'adulte se sent réduit à cela vis-à-vis d'un jeune à éduquer.

La mère s'arrache les cheveux,
le fils est comme un poulet déplumé
(Mères exaspérées)

Nous allons aborder ici un thème qui « culpabilise » beaucoup de mères. Celui de ces femmes qui, à force de vouloir se dévouer à leur enfant, finissent par en être (et lui avec elles) exaspérées. Nous abordons le problème en douceur, en revenant à la question de la mère à la maison. Voici des réactions à ce que vous aviez dit précédemment de cette présence, qui n'est justifiée que jusque vers deux ans et demi, trois ans. Une femme vous fait remarquer que les enfants ont peut-être plus besoin d'avoir leur mère à la maison quand ils vont à la grande école, qu'ils ont des devoirs à faire, que lorsqu'ils ont moins de trois ans. « Ce n'est pas parce que les enfants vont à l'école toute l'année, écrit-elle, qu'ils n'ont plus besoin de leur mère au retour. Il y a aussi les périodes de vacances. Imaginez ce qui se passe pour les enfants quand ils sont douze heures à la maison, seuls, sous leur propre responsabilité. »

J'ai dit que la présence de la mère est, à mon avis, nécessaire à son enfant jusqu'au moment où celui-ci peut prendre contact avec autrui par la démarche délurée et la parole nette, c'est-à-dire, chez les enfants qui se sont développés sainement, vers vingt-cinq, vingt-huit mois. Ensuite, que la mère reste à la maison, ça ne peut être profitable pour l'enfant que s'il est mis au contact d'autres grandes personnes et d'autres enfants. C'est pourquoi j'ai conseillé aux mères qui restent au foyer de se mettre en rapport avec d'autres mères et de se relayer à trois ou quatre pour prendre les enfants à tour de rôle dans la semaine afin que ceux-ci prennent l'habitude d'être ensemble. Il n'est d'ailleurs jamais trop tôt pour faire cela, et pour s'entraider entre femmes.

Mais surtout, il y a des mères qui sont isolées chez elles et qui deviennent enragées à s'occuper seules de leurs enfants ; comme on dit, elles « tournent chèvre ». Et, bien sûr, elles ne sont pas bonnes pour leur enfant. Dans ce cas, et si elles ne peuvent voir d'autres mères dans la journée, il est préférable qu'elles travaillent et mettent leurs enfants à la crèche. Mieux vaut une mère détendue qu'on ne voit que le soir qu'une mère énervée qui s'arrache les cheveux, qui crie toute la journée et qui, lorsque le mari rentre en fin de journée, est dans un état d'épuisement. Maintenant, qu'une mère veuille rester à la maison pendant toute l'éducation de ses enfants, pourquoi pas, si elle le peut, si elle n'est pas à bout de nerfs quand vient le soir.

Il est certainement très agréable pour des enfants d'avoir une mère qui s'occupe d'eux quand ils rentrent de l'école. Mais pour ce qui est des jours de congé et des vacances, il est bon qu'ils aient des loisirs intelligents, surtout à partir de six, sept ans ; et, parce que la mère, souvent prise par les travaux de la maison, n'a pas toujours le temps de le faire, il est important qu'ils puissent s'occuper hors de chez eux à des loisirs créatifs. De plus, les enfants ont besoin d'être avec d'autres enfants. Il existe pour eux des ateliers un peu partout. Ou bien – comme pour les petits – plusieurs mères peuvent se grouper et s'entendre pour que l'une d'elles, chaque mercredi, réunisse tous les enfants et organise une activité : un mercredi, l'une leur fait faire des marionnettes, le mercredi suivant, une autre les emmène promener, etc. Que les mères ne se sentent plus isolées avec leurs enfants et contraintes de tout leur apporter, mais s'entraident. Les enfants doivent apprendre à devenir sociables et, pour cela, c'est aux mères de commencer par l'être entre elles.

A propos de la présence de la mère à la maison encore : « Vous avez parlé l'autre jour d'une petite fille de quatre ans qui était insupportable. Je ne comprends pas que vous ayez conseillé à la mère de retravailler, alors que celle-ci expliquait qu'elle préférait rester à la maison pour mieux élever son enfant. »

Il s'agissait d'une petite fille dont la mère disait qu'elle était devenue « le petit Hitler » de la maison ; en plus, personne ne comprenait pourquoi la sœur aînée, que la mère n'avait pas gardée étant petite, était devenue le souffre-douleur de la plus jeune et se laissait faire. Je crois que quelque chose n'allait pas dans les relations entre l'enfant et sa mère. C'est pourquoi je disais à cette dernière de retravailler. Parce qu'il est mauvais qu'un enfant de quatre ans reste à la maison s'il n'y est pas heureux et ne rend pas les autres membres de sa famille heureux. Si mère et enfants sont à la maison ensemble, c'est pour avoir plus d'échanges entre eux et partager la joie d'être réunis. Sinon, ce n'est pas la peine. Comme, à partir de trois ans, un enfant n'a plus besoin de *sa* mère, la meilleure solution pour cette enfant dont vous parliez et pour sa mère était bien qu'elles se séparent dans la journée. Cette enfant n'était pas heureuse, gâchait sa vie et celle de sa sœur surtout. Quant à la mère, où était pour elle son beau rêve de rentrer chez elle, pour y vivre heureuse ?

Voici maintenant une mère qui a, dit-elle, longtemps hésité à vous écrire. Elle avait un petit peu honte parce qu'elle déclare elle-même : « Je n'osais pas vous exposer mon problème de peur que vous pensiez de moi : "Elle ne sait pas résoudre son problème. C'est une femme-enfant." Et puis, non ! Je crois que vous ne le penserez pas. J'ai trop besoin de vous le dire. » Et elle s'explique. Elle dramatise énormément la situation, car elle dit dans sa lettre que, souvent, elle en vient à pleurer, alors que ce qu'elle décrit est une situation que connaissent journellement des centaines de familles. Elle a un petit garçon de seize mois qui est en bonne santé, qui mange bien, qui a le sommeil léger mais qui dort bien ; en un mot, qui pousse sans problème.

Mais il est capricieux : « *Il hurle toute la journée, écrit-elle, si, par malheur, je n'ai pas tourné la tête au moment où il me le demandait. C'est peut-être mal de parler ainsi de son enfant, mais aujourd'hui, je n'en peux vraiment plus.* » *Et elle décrit une journée type :*

« *Le matin, c'est terrible. Lorsqu'il se réveille, vers sept heures, ce sont des hurlements. A partir du moment où il a vu son biberon, il n'a pas la patience d'attendre que celui-ci chauffe. Au moment de la toilette, c'est encore pire : il refuse le contact avec l'eau. Je n'arrive pas à lui laver le visage ni les fesses, ni même à lui nettoyer les oreilles ou lui couper les ongles... Je suis très patiente de nature, mais j'avoue que, depuis trois ou quatre semaines, j'ai de plus en plus recours à la fessée, ce qui me rend malade – et n'est d'ailleurs pas plus efficace. Lorsqu'il est avec son père, si par exemple je m'en vais de la pièce, continue-t-elle, il est beaucoup plus calme qu'avec moi. Je vous écris cela parce qu'il y a des choses qu'on n'ose pas raconter à son mari.* » *Évidemment, si le mari, en rentrant le soir, trouve l'enfant très calme, il a tendance à penser que sa femme dramatise.*

Et il trouve une femme excédée, près de craquer. Je crois que c'est un enfant très intelligent mais qui, à ce qu'il semble, ne parle pas. C'est pourquoi il crie pour s'exprimer. Je pense que c'est parce que depuis l'âge de neuf, dix mois, il n'a pas eu de paroles sur tout ce qu'il pouvait toucher, tout ce qu'il pouvait faire. Peut-être même a-t-il déjà été dressé à la propreté sphinctérienne. Peut-être est-ce aussi un enfant qu'on a malmené, à qui on a pris des choses et qui a besoin de prendre ; pour qui la mère représente une partie de lui qui lui a été arrachée et que, sans paroles, il ne parvient pas à la remplacer et à rentrer en communication avec elle. Est-ce cela ? Je n'en sais rien. Peut-être aussi cet enfant ne voit-il pas assez d'autres enfants ?

Mais est-ce qu'un bébé de seize mois a besoin de voir d'autres enfants ?

Certains, oui. A neuf mois, dès que l'enfant se déplace à quatre pattes, il a besoin d'apprendre à toucher toutes les choses de la maison en sachant leur nom et, surtout, de ne pas être obligé de faire pipi, caca, dans le pot. C'est peut-être de là que vient le problème de cet enfant : il est réduit à l'état de chose par sa maman qui le lave, et tout ça. Or, à seize mois, il pourrait très bien patouiller tout seul dans l'eau. Elle n'a pas besoin de le laver. Puisqu'elle semble être à la maison, elle peut tout simplement laisser couler le bain, le mettre dedans et c'est tout. Il s'amuse. Et puis, une demi-heure après, il sera propre. C'est un enfant qui semble ne pas vivre comme un enfant de son âge. Quant à la mère, il semble qu'elle ait vraiment besoin de se reposer pour que, lorsque son mari rentre, elle soit encore sa femme.

Elle est dépassée par les événements.

Dans ce cas, elle pourrait essayer de mettre l'enfant chez une gardienne ou, pourquoi pas, à la crèche toute la journée, pendant au moins trois ou quatre semaines, le temps pour elle de se reprendre. Que ce soit le père qui l'y emmène et aille le rechercher, pour qu'elle ne se fatigue pas. Ou peut-être a-t-elle besoin d'aller dans une « maison maternelle », comme il en existe, où l'on prend la maman avec l'enfant, parce que c'est elle qui, en ce moment, est déprimée. C'est à cause de cela que l'enfant ne sait plus ce qu'il fait et est comme une boule de nerfs. Mais je n'ai pas assez d'éléments pour en dire plus. Je peux simplement remarquer qu'un enfant qui aime jouer avec l'eau est un enfant en bon équilibre. Un enfant calme quand son père est seul avec lui, aussi.

J'abandonne cette lettre pour vous poser une question plus générale. Ne craignez-vous pas de faire bondir beaucoup de mères en disant qu'à seize mois il n'est pas nécessaire de nettoyer les oreilles, couper les ongles ou laver la figure d'un enfant ?

Oui, mais on voit que cet enfant n'est pas comme les autres : le laver, c'est comme si on lui enlevait la peau. Je ne sais pas pourquoi il est devenu comme ça. Mais dans son cas, il vaut mieux ne pas l'ennuyer avec la toilette. J'ai l'impression que c'est un enfant qui s'est senti beaucoup trop chosifié par la mère. Elle a comme peur de lui ; et lui est en insécurité avec elle. La preuve, c'est que, quand le père est là – qu'il voit moins souvent, et qui est moins « après lui », comme on dit –, il est sage. Ce petit me fait penser à un tableau de poulet déplumé. Et la mère s'arrache les cheveux !

Alors, qu'elle ne s'arrache surtout pas les cheveux !

Non. Qu'elle fasse un peu moins de nettoyage. Qu'elle le mette dans la baignoire et qu'elle le laisse s'amuser. Et puis, quand il crie… qu'elle chante ! C'est tout. Mais le pourra-t-elle ? Je crois qu'elle a besoin de repos tout court et d'être aussi un peu soulagée de l'enfant.

Une autre mère vous écrit : « J'ai une petite fille qui n'a pas encore un an. Je l'adore… quand elle ne pleure pas…

Elle n'aime pas un enfant vivant !

… J'ai beau me raisonner, quand elle pleure, je crie plus fort qu'elle… »

C'est ennuyeux pour l'avenir.

Elle demande : « Pouvez-vous me dire ce que je devrais faire…

Certes !

… quand il m'arrive d'exploser…

Une psychothérapie, madame !

…parce que j'ai l'impression que ma fille a peur de moi par moments. »

Ce n'est pas étonnant. Cette femme n'arrive pas à se maîtriser. D'ailleurs, son écriture aussi le montre. C'est une femme qui est à bout de nerfs. Elle aime la petite, bien sûr ! Mais, en fait, elle aime une enfant imaginaire, pas une enfant réelle. Il faut absolument qu'elle fasse une psychothérapie. Et je suis sûre qu'elle retrouvera alors des souvenirs où elle-même a été traitée comme ça – car une femme fait avec son enfant ce qu'on a fait avec elle –, pas forcément par sa mère d'ailleurs, peut-être par une personne de passage, quand elle était à l'âge de crier. En tout cas, elle a raison de s'inquiéter. Il faut qu'elle entreprenne une psychothérapie – non pas qu'elle prenne des médicaments pour se calmer, il ne s'agit pas du tout de cela – pour comprendre, en parlant avec quelqu'un de façon régulière, ce qui se passe en elle quand son enfant se montre simplement sensible et vivante.

Le père n'est pas un nourrisson
(Incommunicabilité paternelle ?)

Lorsque nous lisons des lettres de mères ou des lettres qui concernent des familles même très nombreuses, on parle rarement des pères.

Oui, si bien que, quelquefois, on croit qu'il n'y en a pas.

Voici donc la lettre d'un père qui s'interroge sur ce qu'il appelle l'« incommunicabilité paternelle ». Il a l'impression que souvent, à cause de leur travail, les pères n'ont pas le contact aussi facile que les mères avec leurs enfants. Et il écrit : « Je crois que c'est par le contact physique plus que par des paroles que le père peut le mieux donner une preuve d'amour. » Il explique ensuite : « J'ai un fils de sept ans et demi et une fille de six ans qui refusent mes câlins, mes caresses et mes baisers. Ils le font parfois en riant et semblent se moquer de moi. Dernièrement, au moment de les conduire à l'école, leur mère ayant été couverte de baisers, j'ai fait semblant d'être jaloux, et mon fils m'a répondu : "Toi, tu n'as pas droit aux baisers parce que tu ne m'as pas fait naître". » Je crois que ça lui pose un gros problème à ce père.

C'est très intéressant parce qu'il y a peut-être d'autres pères qui réagissent comme cela. Ce monsieur a créé lui-même les conditions dont il souffre maintenant, parce que ce n'est jamais par le contact physique que l'amour pour le père se manifeste. Il peut y en avoir, bien sûr, quand le bébé est petit, pourquoi pas ? Mais très tôt, ils ne doivent plus exister, ou le moins possible. Le père, c'est celui qui met la main sur l'épaule et dit : « Mon fils ! » ou « Ma fille ! » ; qui prend sur ses genoux, chante des chansons, donne des explications sur des images de livres ou de magazines en racontant les choses de la vie, sur tout ; il explique aussi les raisons de son absence, les raisons pour lesquelles on agit de telle ou telle manière ; puisqu'il est souvent à l'extérieur, l'enfant peut supposer qu'il connaît le monde plus que la maman qui, elle, connaît surtout les choses de la maison. Je crois que ce monsieur se conduit, vis-à-vis de ses enfants, comme un nourrisson avide de baisers. C'est pourquoi ceux-ci en viennent à penser qu'il ne compte pas dans leur vie.

En ce qui concerne la responsabilité du père dans la naissance, comme je l'ai dit souvent, quand une mère explique à son enfant de deux ou trois ans qu'il était dans son ventre avant de naître, elle ne doit pas oublier d'ajouter : « Mais tu n'y étais que parce que ton père a désiré que tu naisses. C'est lui qui a d'abord voulu ta naissance. Toi, tu as voulu naître garçon. Toi, tu as voulu naître fille. Mais nous étions tous les deux pour te concevoir. » Il vaut mieux dire le mot exact, « concevoir », que le mot « faire » qui, pour les enfants, s'emploie surtout pour les excréments ou les choses manipulées et fabriquées avec les mains.

Pour en revenir à cet homme, il peut encore se rattraper auprès de ses enfants en leur disant : « Vous avez pu penser que j'avais besoin d'être embrassé. Mais vous vous êtes trompés. Je croyais que vous étiez trop petits pour que je vous parle et que vous me parliez. Maintenant, cela va changer, on va essayer de réparer ça. Si vous le voulez, je vous sortirai, je vous emmènerai voir des choses intéressantes, tous les deux ou séparément. » (Car ce ne sont pas les mêmes choses qui intéressent garçons et filles.) Mais surtout, que les pères sachent bien que ce n'est pas par le contact physique mais par la parole qu'ils peuvent se faire aimer d'affection et respecter de leurs enfants.

A propos de paroles, ce même père explique un peu plus loin : « Mon fils est souvent muet devant nos questions. Il ne veut jamais dire – ni à sa mère ni à moi – ce qu'il fait à l'école. Quant à ma fille, plus jeune d'un an, elle a des gestes de révolte, lève le coude – ce qui est une façon de lever le poing à mon égard – et se bute devant nos paroles. » Apparemment, ces enfants-là ne sont pas très sensibles à la parole.

Ce n'est pas cela. On dirait que ces deux parents n'ont pas entre eux de conversation personnelle, ne sont pas vraiment des amis adultes et ne vivent que par leurs enfants. On dirait qu'il y a, dans cette famille, une manière de vivre un peu « nursery ». Ces enfants semblent jeunes d'esprit, puisqu'ils jouent encore à taquiner leurs parents comme des bébés, et ceux-ci aiment se faire embrasser aussi, comme des bébés. Si les parents, quand ils se retrouvent le soir, parlaient de ce qui les intéresse, de ce qu'ils ont fait dans la journée, et demandaient à leurs enfants de se taire en leur disant : « Si ça ne vous intéresse pas, allez jouer ! », je crois que ceux-ci comprendraient que leurs parents ont une vie d'adultes où les enfants ne sont pas indispensables. C'est très important. Dans beaucoup de familles, l'enfant est roi, les parents dépendent de lui et s'il ne raconte pas ce qu'il a fait à l'école, eux se sentent frustrés. Or, d'une part, je l'ai déjà dit, les enfants ne peuvent pas à la maison parler de l'école ni à l'école de la maison, en tout cas, ils ne le peuvent pas sur commande. D'autre part, ce dont ils ont besoin, c'est d'avoir une vie propre avec leurs camarades et des parents qui leur donnent la sécurité, qui ont des conversations entre eux, fréquentent des amis de leur âge ; des parents à qui ils peuvent s'identifier pour grandir, et non des simili-camarades de leur âge.

Un problème proche du précédent. C'est la femme, cette fois, qui vous explique son cas. Elle est mariée depuis quatre ans. Elle a vingt-huit ans, son mari a bientôt quarante et un ans et leur enfant trois ans. Elle écrit : « Depuis sa première année, mon fils est jaloux de mon mari. Cela crée un climat de tension épouvantable, surtout lorsque

nous sommes tous les trois ensemble. Je n'ai pas un carac-
tère à gâter les enfants ni à céder à leurs caprices. Mon
fils, tout en ne manquant de rien, a été élevé avec poigne.
Mais cela n'a servi à rien, parce que mon mari, pour qui
cela a beaucoup compté d'avoir enfin un enfant, à trente-
huit ans, s'est toujours conduit avec lui de façon radicale-
ment différente. Il critiquait, devant lui, ce que je disais à
l'enfant. Maintenant, à trois ans, celui-ci n'obéit plus ni à
moi ni à son père – qu'il appelle, de plus, par son prénom,
ce qui lui retire encore de l'autorité. Je voudrais que vous
me disiez comment me comporter vis-à-vis de cet enfant. »
Elle ajoute à la fin de sa lettre : « Je garde un bébé depuis
quelques mois ; bien que mon fils paraisse l'aimer, j'ai
l'impression que ça n'arrange pas la situation. »

Dans cette famille, la mère a le rôle de gendarme et le père
le rôle maternant. Mais, surtout, le père semble avoir été
subjugué par l'arrivée de ce bébé. Il n'aimerait pas, lui, être
grondé. Alors, il se met à la place du petit qui l'est par la
maman. Je ne sais pas très bien comment ça peut s'arranger.
Je crois qu'il faut que la maman parle à l'enfant et lui dise :
« Écoute ! Lui, il est mon mari. Toi, tu es mon fils. » Et que
le père fasse de même : « C'est ma femme. Et quand je suis
avec elle, j'aimerais que tu me laisses tranquille, parce que,
quand tu seras avec la tienne, je te laisserai tranquille aussi.
Entre hommes, on peut faire cela l'un pour l'autre. » Il faut
qu'ils parlent l'un de l'autre en termes de *mari* et *femme*, et
non pas seulement de « papa » et « maman ». Quand ils parlent à l'enfant de leur conjoint dans sa relation aux enfants,
qu'ils disent « ton père, ton papa, ta mère, ta maman. Votre
père, votre mère ». Exemple : « Va dire à ta maman… » et
non « Va dire à maman ».

Dans sa lettre, cette dame explique qu'elle a élevé son fils
avec poigne. Mais est-ce possible avec un enfant qui n'a
pas encore trois ans ?

Enfin, qu'est-ce que ça veut dire ?

… D'autres personnes, d'ailleurs, vous demandent votre avis sur les façons « modernes », d'élever les enfants, c'est-à-dire le laisser-faire total.

Ce n'est pas plus moderne… c'est « je-m'en-fichiste ».

Où est donc la frontière entre le laisser-faire et la poigne ?

Le tout est de parler intelligemment avec un enfant. Quelqu'un qui, devant un enfant, rit de lui ou se moque de ce qu'il dit à un autre adulte, ou se moque de l'adulte avec son enfant, ne respecte ni l'enfant ni l'adulte. En fait, ces grandes personnes se comportent comme des enfants. Et l'enfant, le vrai, n'a plus sa place. Les parents, en se mettant à sa place, ne sont plus des exemples. Je pense que la meilleure des choses serait de le faire garder au-dehors, de temps en temps, pendant la journée. Il faut que le couple se retrouve. C'est à qui joue au tiers exclu ou au tiers coupable dans ce trio. C'est cela qui ne va pas.

Croyez-vous que le problème du bébé qu'elle garde peut avoir joué ?

Sans doute. L'enfant se sent dépossédé et ne sait plus s'il doit s'identifier à une grande personne, et à laquelle ? ou à un bébé, pour devenir lui-même. Ce garçon encore adolescent que semble être le père, s'il se mettait à être sévère et ferme, il se sentirait devenir femme puisqu'il a une femme à poigne. C'est très difficile pour le petit garçon et je crois qu'il se sent un peu « paumé » pour ce qui est de trouver sa place de garçon de son âge, bref son identité, pour devenir vraiment lui-même. Pour l'instant, il s'identifie à celui qui fait tomber les quilles. C'est ce que fait son père en critiquant le comportement de sa femme. C'est ce que fait la mère en critiquant le comportement du père.

Vous aviez, d'autre part, déjà dit ici qu'il est mauvais, pour un enfant, que les parents se contredisent devant lui ?

Oui. Mais, puisqu'ils le font et qu'ils l'ont déjà fait… On ne peut pas revenir en arrière.

Mais, pour ceux qui voudraient éviter ce problème, il ne faut pas le faire ?

Non. Si des parents ne sont pas d'accord, il est très important qu'ils ne le montrent pas à l'enfant mais qu'ensuite, ils en parlent entre eux. Il est difficile à un enfant de vivre avec deux parents sans cesse en contradiction. En fait, dans le cas présent, ils ne sont pas en contradiction : ils en sont à savoir à qui l'enfant obéira. Or, un enfant doit s'obéir à lui-même, c'est-à-dire faire des choses utiles et intéressantes. Et celui-ci, finalement, je crois qu'il s'ennuie parce qu'il ne fait rien d'intéressant. En outre, le climat créé par ses parents est pour lui un climat d'insécurité.

Et puis il est dangereux pour la structure psychique d'un enfant d'appeler ses parents par leur prénom ou par un surnom : c'est nier la filiation et la spécificité de la relation aux parents.

Passivité n'est pas vertu
(Enfants timides)

Où la gentillesse commence-t-elle à aller trop loin ? Une mère qui a deux petites filles de six mois et quatre ans vous écrit : « J'ai été enseignante. Je me consacre maintenant à ma petite famille. L'aînée est très gentille et équilibrée mais est souvent "victime" de sa gentillesse : lorsqu'elle reçoit des coups à l'école, elle n'ose pas les rendre car, dit-elle, si sa maîtresse le voit, elle va se faire disputer. Hier, devant moi, un enfant de dix-huit mois l'a cruellement mordue plusieurs fois, l'a griffée et pincée. Ma fille pleurait, mais n'a pas voulu se défendre ; elle disait de l'autre : "Elle est petite." Comment faire pour aider cette enfant à se défendre ? Est-ce qu'on doit lui apprendre un sport ? »

Le karaté, peut-être !

Pourquoi pas ? La maman explique aussi que cette enfant est très généreuse, qu'elle offre ses jouets et partage sa chambre sans problèmes avec d'autres enfants, mais qu'elle est souvent déçue et reste un peu penaude dans son coin.

C'est une enfant qui croit que la passivité est une vertu. Quand le bébé de dix-huit mois l'a mordue plusieurs fois, griffée, pincée, elle aurait pu au moins s'écarter de lui ou lui immobiliser les bras. Je ne sais pas. Peut-être croit-elle depuis qu'elle est petite, que c'est bien de se laisser avoir. Elle a peur de la maîtresse comme si c'était celle-ci qui devait savoir ce qu'un enfant peut supporter. Elle n'a pas du tout son autonomie. Il faut que la mère lui parle et, surtout, qu'elle joue avec elle à faire semblant de l'attaquer et que l'enfant se défende d'elle. C'est ainsi qu'elle peut lui enseigner à se défendre sans pour cela faire mal, à protéger sa petite personne. Il faut que l'enfant joue pour elle-même et non qu'elle fasse jouer sa petite sœur. Que la mère la laisse jouer avec sa sœur, bien sûr, mais que si la petite crie on n'en fasse surtout pas reproche à la grande. Qu'on ne lui dise pas : « Sois gentille », ou « Cède, ta sœur est petite ». Gentil est un qualificatif pour un nounours, et j'ai l'impression que cette enfant a un idéal de nounours, puisqu'elle ne bouge pas quand on l'attaque. Or, je dois le dire, c'est quelque chose qui arrive chez les enfants qui ont été propres trop tôt : la maman qui prend les excréments à son enfant petit, qui ne veut pas qu'il en ait, prépare sans le savoir, chez celui-ci, soit une trop grande passivité, soit au contraire, une exacerbation de l'autodéfense. Il semble, d'après la suite de la lettre, que ç'ait été le premier cas, ici.

En effet, à propos de l'enfant de six mois, la mère demande : « A quel âge faut-il faire l'éducation à la pro-preté ? »

Amorcer l'éducation ? pas avant quatorze mois chez un enfant qui a marché à onze ou douze mois. Et c'est vers dix-neuf, vingt mois que cet enfant sera, de lui-même, capable de devenir propre, les garçons plus tard que les filles. Mais avant, combien de choses il doit savoir et apprendre à faire ! Des gestes d'agressivité corporelle, comme de taper dans un ballon, porter des choses lourdes, manipuler avec habileté des objets fragiles, maîtriser sa motricité, faire des efforts, éplucher des légumes, manier des tas d'outils, des couteaux, des ciseaux. Maîtriser motricité, force, agressivité pour l'uti-lité. Et aussi, pour le jeu. Or, il me semble qu'ici, l'aînée, jus-tement ne joue pas avec son corps. Quant à la petite de six mois, elle ne mange pas seule et ne déambule pas encore à quatre pattes. Pas question de propreté.

Quand vous dites « jouer avec son corps », c'est en fai-sant une différence entre « jeux » et « sports » ?

Bien sûr.

A propos de sport, beaucoup de lettres vous demandent :
« A quel âge peut-on commencer à faire pratiquer un sport
à un enfant ? »

Quand il le désire. Quand un enfant dit : « Je voudrais
faire du foot », la maman répond : « Je vais chercher si, à
ton âge, il y a déjà de petites équipes. » Mais pas avant sept,
huit ans pour un garçon déjà habile, déluré et sociable.

Quatre ans, c'est donc quand même un peu jeune ?

Bien sûr ! taper dans un ballon, ce n'est pas du foot. Mais
l'enfant peut commencer par jouer avec d'autres enfants ;
avec son père et sa mère aussi, qui, en jouant ensemble et
en l'intégrant à leur partie, lui enseignent à jouer. Pas plus
qu'un enfant n'apprend à parler seul avec sa maman, il ne
peut apprendre à jouer physiquement seul avec une personne. C'est bon pour commencer à s'exercer. Ce n'est pas
« jouer ». Il faut jouer au moins à trois. C'est en voyant son
père et sa mère jouer ensemble (aux quilles, au ballon, etc.)
que l'enfant apprend à faire pareil. Le geste, c'est un langage. L'enfant l'apprend par désir et plaisir, et en observant
les autres.

Or, j'ai l'impression que l'enfant dont nous parlions, pour
y revenir, est muette de ce langage. Il faut lui enseigner le
langage des gestes, le langage du corps. Alors, elle n'aura
plus peur de sa maîtresse. Et elle pensera que celle-ci, si
elle l'a grondée parce qu'elle s'est défendue, a fait ce
qu'elle avait à faire, cependant qu'elle, de son côté, a fait
aussi ce qu'elle devait faire. Il faut absolument que la mère,
enseignante elle-même, débarrasse sa fille d'une culpabilité
morbide devant les maîtresses.

Voici deux fillettes, de quatre ans et demi et deux ans, qui
sont toutes deux très timides et sensibles – de cela, la mère

ne s'inquiète pas, elle pense qu'en grandissant, avec le
contact d'autres enfants à l'école, cela passera. Son pro-
blème, c'est que l'aînée a tendance à faire confiance à tout
le monde ; en particulier dans la rue, elle suivrait n'importe
qui. La mère cite un cas précis : un jour, au sortir de la
poste, une dame a demandé à l'enfant en passant : « Tu
viens avec moi », et la petite, immédiatement, l'a suivie. Là-
dessus, cette personne lui a dit : « Mais enfin, il ne faut pas
suivre tout le monde comme ça ! » Il y a eu une autre expé-
rience, un peu plus tard. Cela inquiète la maman qui se
demande comment faire comprendre à sa fille qu'il ne faut
pas faire confiance à tout le monde.

Je ne pense pas qu'on puisse le lui faire comprendre. La
relation à la mère n'est pas tout à fait une relation élective,
chez cette petite ; probablement depuis la naissance de sa
petite sœur.

Autre chose : elle n'ose pas s'opposer. C'est une enfant
timide, qui a été élevée (ou qui a tendance) à être trop
docile avec sa mère. Je crois que celle-ci peut commencer à
changer les choses en ne lui imposant pas tout directement,
en ne lui demandant pas une obéissance aveugle. Car cette
enfant est comme aveugle : elle obéit à sa mère aveuglément. Elle suit n'importe qui parce qu'elle a pris un style
d'obéissance, de dépendance totale à sa mère. Elle n'a pas
une autonomie suffisante. Il faut que sa mère l'aide en lui
demandant, par exemple, chaque fois qu'elle la sert : « Est-
ce que tu veux de ceci ? » pour que l'enfant puisse dire non,
puisse dire qu'elle veut autre chose. Ce serait encore mieux
de la laisser se servir elle-même. Qu'on développe chez les
enfants des initiatives personnelles qui ne seraient peut-être
pas celles que la mère aurait eues pour elles.

Cette dame nous a réécrit, le lendemain, qu'elle avait
oublié de mentionner quelque chose concernant sa fille :
quand celle-ci était plus petite, et qu'on la conduisait au jar-
din, elle semblait toujours plus attirée par les autres
mamans, ou les grands-mères d'ailleurs, que par les enfants

de son âge. A l'école, elle reste toujours à côté de sa maî-
tresse lors des récréations et ne veut pas aller jouer avec les
autres enfants.

Je ne crois pas un mot de ce « toujours » ! Je pense que
c'est arrivé quand la maman était enceinte de la petite sœur
ou à sa naissance – plutôt quand elle était enceinte. Les
enfants sentent que la maman qui attend un bébé est attirée
« vitalement » par un autre enfant. Par une certaine prudence, ils se font alors silencieux envers elle et cherchent
quelqu'un qui ait une vitalité plus disponible à tous les
enfants. C'est ça. Ou, si elle se comportait déjà ainsi avant
la grossesse de sa mère, c'est qu'elle ne fréquentait pas
d'autres enfants. Les bébés sont très vite attirés par les
autres bébés : encore faut-il qu'ils en voient et que la personne qui les garde leur laisse faire de petites expériences
de jeu avec les autres sans s'en angoisser.

Voici peut-être une autre forme du même problème. Nous
parlons très souvent de familles de deux, trois, quatre, cinq
enfants ; mais on vous demande aussi de parler des enfants
uniques. Telle cette mère qui écrit : « J'ai une fille unique
de quatre ans et demi qui nous donne l'impression, à mon
mari et à moi, de tout faire pour rester bébé le plus long-
temps possible. Elle se promène avec un petit mouchoir
qu'elle met sous son nez. Lorsqu'elle est avec d'autres
enfants, elle ne cherche pas particulièrement à jouer avec
eux. Elle reste dans son coin en silence. » Et la question
précise est la suivante : « Que faut-il faire pour aider un
enfant unique à se détacher un peu de ses parents et à s'in-
téresser aux autres – en particulier aux autres enfants de
son âge – et à trouver une sorte d'harmonie ? »

C'est déjà plus difficile, à quatre ans et demi, quand cela
n'a pas commencé tôt. Je dois dire que les enfants uniques
sont malheureux en général. Il est frappant d'ailleurs de voir
que, quand des parents ont été enfants uniques, ils ont géné-

ralement envie d'avoir plusieurs enfants. Et ce sont les enfants de familles nombreuses, surtout les aînés, qui aiment avoir un enfant unique, parce qu'ils ont, de leur côté, souffert de leur sujétion aux petits, de leurs responsabilités d'aînés. Il y a, dans la communauté des enfants, un charme qu'un adulte ne peut pas remplacer.

Je pense que cette enfant n'a pas été assez tôt mêlée par ses parents à d'autres enfants, tandis que ses parents, de leur côté, ne voyaient pas assez d'autres adultes. Quand un enfant unique vit avec des parents qui, eux, voient beaucoup d'autres parents, il commence à reverser sur d'autres adultes la relation à la mère, la relation au père et si ces adultes ont eux-mêmes des enfants, l'enfant unique joue avec eux. Mais il semble que les parents eux-mêmes se conduisent ici en parents d'enfant unique : or, on peut n'avoir qu'un enfant unique parce que c'est obligatoire, mais, en même temps, être très sociables. Je crois qu'il y a un problème de sociabilité chez cette femme, avec les autres femmes, depuis que son enfant est petite. En fait, tout enfant – et surtout un enfant unique, puisque la maman a davantage de temps – devrait être, dès le berceau, mêlé à la vie d'autres enfants. La mère, elle-même, devrait fréquenter des amies, que celles-ci aient ou non des enfants, ou qu'au moins, à la maison, il y ait des animaux : qu'il y ait des échanges, des chansons, de la joie, du mouvement quoi, une vie. Et que l'enfant ne représente pas, pour les deux parents, le centre de leur existence.

Elle dit qu'elle a toujours traité sa fille en enfant selon son âge, mais qu'il n'en est pas de même pour le père : « *Mon mari s'occupe beaucoup d'elle, mais il la traite peut-être trop en adulte.* » *Et elle se demande si ce n'est pas par réaction que l'enfant cherche à rester bébé le plus longtemps possible. Croyez-vous que son analyse soit juste ?*

Je ne sais pas. Mais je ne pense pas qu'elle non plus ait traité sa fille en enfant de son âge. Parce qu'à quatre ans et demi – dès l'âge de trois ans même – une petite fille aime faire tout ce que fait la maman dans la maison : elle épluche

les légumes, elle fait les lits, elle cire les chaussures, elle
bat les tapis ou passe l'aspirateur, fait la vaisselle, lave et
repasse… Elle aime aussi faire tout ce que fait le père
quand il agit avec ses mains. Je pense que cette mère, sans
s'en rendre compte, a traité longtemps sa petite fille comme
une enfant de deux ans, deux ans et demi, et que c'est là le
difficile. Peut-être que, maintenant, en invitant des petites
filles avec leurs parents, et en vivant, eux, davantage avec
des adultes (aux prochaines vacances, par exemple, s'ils le
peuvent) au lieu de vivre repliés en petite famille refermée,
amènerait-on cette enfant à devenir moins dépendante.
Mais, je répète que c'est déjà un problème à quatre ans et
demi. Car c'est dès l'âge de la marche que l'enfant devrait
commencer à être mêlé à d'autres enfants et laissé libre de
prendre des initiatives, soutenu par les paroles, l'attention
amusée et les encouragements de ses parents.

Un conseil donc, pour tous les parents d'enfants uniques :
pour essayer que celui-ci ne soit pas trop malheureux
– puisque vous avez dit tout à l'heure qu'un enfant unique
était malheureux –, il faut rencontrer avec lui beaucoup
d'amis, le laisser chez ceux qui l'invitent et que lui-même en
invite à son tour. A la maison, lui enseigner à se débrouiller
seul. Rien n'est pire pour des enfants – c'est souvent le cas
pour un enfant unique – que d'être le centre d'intérêt des
parents ?

Oui, on peut avoir des plantes à soigner, à aimer, et aussi
des animaux domestiques si possible. Peut-être pas un
chien si l'on vit à un étage élevé, mais un chat, un hamster,
ou des poissons rouges, des canaris. Je dis « des », un
couple qui aura des petits. Qu'il y ait mouvement, relations
et vie à observer, à défaut de frères et sœurs.

Si je vous suis bien, vous êtes pour la famille nombreuse ?

Nombreuse, non. Mais trois, c'est le bon nombre pour les
enfants. Ils sont heureux quand ils sont à trois camarades

ou frères et sœurs, pas trop éloignés d'âge les uns des autres. Sans cela, c'est l'un contre l'autre, ou bien c'est l'enfant unique. Trois, dans une famille, c'est déjà une petite tribu qui se défend, qui fait corps quand les parents en attaquent un – ce qui est excellent, n'est-ce pas ? Quand ils sont loin des parents, ils font corps ; ils sont deux à protéger le troisième, ou deux à attaquer le troisième, d'ailleurs. Mais enfin, ils font une petite vie sociale déjà. Être enfant unique, élevé en enfant solitaire entre ses deux parents et ses grands-parents, ce n'est pas drôle du tout. C'est pesant pour la vie du cœur, même si c'est plus facile pour la vie matérielle.

Commander à ses mains
(Le vol)

Les enfants qui volent : pour les parents, un gros problème. Une mère a trois enfants d'âges assez rapprochés : un garçon de sept ans et deux filles de six et quatre ans. Elle écrit : « L'aîné travaille bien et se conduit bien à l'école. A la maison, il est très raisonnable pour son âge. Mais il commence à voler : des crayons feutres à l'école, des piles électriques chez sa grand-mère, des stylos chez son copain de classe. Lorsque je lui demande pourquoi il fait cela, il répond : "Parce que c'est beau et que c'est neuf." Comment, termine-t-elle, résoudre ce problème sans en faire une histoire ? »

Je crois qu'à sept ans, c'est très difficile de ne pas en faire une histoire. Je voudrais répondre un peu complètement à cette dame. Elle a deux filles, dont l'une a un an de moins que le garçon. Elle a dû, même inconsciemment, les considérer un peu comme des jumeaux – peut-être l'ont-ils fait eux-mêmes. Et la différence sexuelle a dû ne se remarquer qu'assez tard chez un garçon qui n'a qu'un an de plus que sa sœur – car c'est vers trois ans que la différence sexuelle est aperçue par les enfants. Il est possible qu'on ait beaucoup admiré sa petite sœur, le « nouveau-né » quand il avait un an ; qu'il l'ait bien supporté mais qu'il ait besoin, maintenant, par réaction, d'objets « beaux, neufs » pour se sentir davantage valorisé, plus beau, ou plus important qu'elle. Pourtant, à sept ans, qui est l'âge social, voler devient grave. Cette dame ne nous dit pas si elle a parlé de la question avec le père. De toute façon, qu'il y en ait un ou non, je pense qu'il faut toujours rendre les objets volés, en emmenant l'enfant. Peut-être se cachera-t-il derrière elle. Mais qu'elle l'emmène. Qu'elle ne l'humilie pas trop devant le maître d'école, la famille de l'enfant qu'il a volé ou la grand-mère, mais qu'elle lui explique : « Tu dois venir rendre ces objets avec moi, parce que tes mains ont fait quelque chose que ta tête de garçon intelligent ne voudrait pas faire. Tu vois, tu étais petit. Ta petite sœur n'avait pas de "quéquette" ; elle était belle ; on l'admirait. Peut-être t'es-tu senti moins beau qu'elle. N'empêche que maintenant, tu dois sentir que tu ne peux pas et que tu ne dois pas prendre les choses des autres. Tu ne serais pas content si on te prenait tes affaires. » Ce qui porte beaucoup aussi, chez les enfants, c'est de leur dire : « Écoute ! si quelqu'un cognait à la porte et que ce soit un gendarme qui dise : "Madame, je viens arrêter votre mari parce qu'il est voleur", ou "Madame, je viens vous arrêter parce que vous êtes voleuse", que penserais-tu ? Tu aurais honte. Eh bien, moi, ta mère (et, s'il a un père, ton père) j'ai (nous avons) honte de ceux de la famille qui font quelque chose qui n'est pas bien. Tu n'es plus un petit. Il faut absolument que tu te corriges, que tu commandes tes mains : quand tu as envie de voler, mets-les derrière ton dos. Et, bientôt tu pourras me dire : "Maman, j'ai gagné sur mes mains qui voulaient prendre quelque chose". » Il faut donc bien faire une « petite histoire ».

D'autre part, est-ce qu'un petit enfant peut faire la diffé-rence entre prendre et voler ?

Pas du tout.

A deux ou trois ans, souvent, dans les supermarchés, ils ramassent ce qui est à portée de leur main. Ce n'est pas grave. Faut-il déjà essayer de leur faire comprendre qu'ils ne doivent pas faire cela ?

Il est indispensable de prendre ça au sérieux dès le plus jeune âge de l'enfant ; non pas de le gifler (on ne doit jamais humilier un enfant), mais de taper sur la main voleuse, en disant : « Je suis sûre que, toi, tu t'es laissé avoir par ta main qui, comme une gueule de chien, ramasse n'importe quoi. Il ne faut pas la laisser faire. Une fille, un homme, ça doit commander ses mains. » Et rendre l'objet. Même si, pour la mère, c'est gênant, il faut qu'elle le fasse.

Il y a là une autre lettre qui comporte un préambule assez sympathique sur l'attitude envers les enfants en général. Cette dame écrit : « Ce qui est important, c'est d'avoir à l'esprit que l'enfant ne nous appartient pas, qu'il appartient à la société et qu'il va commencer à se former dans une dizaine d'années. Un enfant autonome, élevé dans le respect de soi, donc des autres, aura très vite le sens des responsabilités du monde. » Et elle vous demande ce que vous pensez de la méthode de Neil, qui consiste, paraît-il, à récompenser un enfant qui vole, en partant du fait que s'il vole, c'est qu'il est malheureux et que, en le récompensant, on lui montre qu'on l'aime. C'est assez éloigné de ce que vous aviez dit.

Je crois que cette méthode vise surtout à faire réfléchir les parents qui ne savent pas que le vol est une compensation, un manque. Mais cela dit, nous manquerons toujours de quelque chose !

Ensuite, il est certainement très bon qu'un enfant se sente aimé, même quand il vole ; rien de meilleur, puisque c'est par amour qu'il s'adapte à la vie et à la loi des adultes. Mais enfin, l'enfant qui vole, généralement, n'aime pas être volé, lui. (Sauf cas particuliers – des enfants à qui c'est complètement indifférent que leurs affaires soient prises par d'autres. Ceux-là ne savent pas qu'ils volent puisque ce qui leur est pris les laisse tout aussi contents. Là, c'est la maman qui ne va pas être contente parce que aura disparu le cartable, le cahier de son enfant.) Mais, à partir du moment où un enfant a le sens de la propriété – et il l'a en général à quatre ans –, on peut lui donner celui de l'interdit du vol. Il faut le faire avec réflexion, je crois que c'est en expliquant calmement la loi de l'échange et ensuite en se fâchant quand il a volé qu'on l'éduque, plutôt qu'en le récompensant. Et, bien sûr, en lui faisant sentir que c'est parce qu'on l'aime qu'on veut le former à devenir un être humain, soumis à la même loi que tous, quel que soit leur âge.

Nous n'avons pas parlé d'âge jusqu'à présent. Voilà le cas précis d'un garçon qui va avoir quatorze ans et qui éprouve depuis quelques années le besoin de voler. La mère écrit : « Nous lui avons expliqué, son père et moi, que prendre des choses, ça s'appelait voler, que c'était mal, qu'il courait même des dangers éventuels s'il continuait à faire cela plus tard. Rien n'y fait. J'ai peur que cette habitude ne s'installe sérieusement. » Elle précise qu'il est fils unique et que, chez elle, il n'y a pas de problèmes.

Il n'y a pas de problèmes ? Est-ce qu'il est productif, industrieux, bricoleur, travailleur ?

C'est un enfant qui a été très précoce...

Oui, en paroles et en raisonnements peut-être ; mais ce besoin de prendre et prendre encore... Bien sûr c'est en prenant que l'enfant apprend le langage : en prenant les mots. A l'école, il apprend encore en prenant ce que les autres ont trouvé. Mais il y a un âge où il commence à découvrir, trouver, construire et faire de ses mains. Et à ce moment-là, justement, où il devient lui-même industrieux, producteur, il ne cherche plus à prendre.

On nous dit de ce garçon que, s'il semble devenir physiquement un jeune homme, il reste, mentalement, un peu bébé, avec peu de réflexion, pas d'initiatives.

Voilà !

Un petit peu le contraire, si vous voulez, de ce qu'il était à l'âge de huit ans où il était toujours le premier de sa classe et avait, dit-on, un esprit inventif très développé.

Il était donc parti pour n'être pas voleur. Il a fait cette régression à huit ans. Il se passe certainement quelque chose dans sa famille qui explique qu'il n'y ait pas, pour lui, de fierté à devenir un garçon responsable, conscient de la dignité de son nom. C'est peut-être un problème avec son père, ou entre sa mère et son père.

Elle écrit effectivement : « J'ai, de mon côté, de gros problèmes avec mon mari…

Ah bon ?

… mais cela ne peut quand même pas conduire mon enfant à une attitude semblable…

Mais si !

… ou alors je n'y comprendrais plus rien. »

Mais si, justement ! C'est la dignité promise de devenir un homme comme son père qui lui est retirée depuis que la mère souffre de son mari et qu'il s'en rend compte. Cet enfant est en danger moral pour l'avenir du fait de ces difficultés. Il faut que les parents comprennent cela. Avant tout, qu'ils mettent l'enfant au courant. Et que la mère laisse son fils sentir que, même si elle a des difficultés avec son mari, celui-ci est un homme valable devant la société, même si comme mari elle le critique : un père auquel l'enfant peut s'identifier et faire confiance. Enfin, je crois que ce garçon s'ennuie dans ce foyer à problèmes, où la mère se plaint du père, qu'il a besoin d'être séparé du couple conflictuel, d'aller en pension.

Si cette mère aime son fils, elle doit changer d'attitude vis-à-vis de lui. Il a peut-être besoin d'être préparé à ce départ par une psychothérapie, si c'est possible dans la région où il se trouve. Parce qu'il me semble très mal parti : il était, avant huit ans, travailleur et intelligent. Maintenant, il est passif et rusé pour se procurer facilement tout ce qu'il désire. Mais il n'est pas fier de lui et ne se fait pas d'amis. Tout ce qu'elle dit montre qu'il vit passivement, comme un nounours de sa mère, qui, elle, dévalorise son père à ses yeux. Cela ne fait que le déprimer. Ses vols sont des compensations pour la tristesse du foyer. Il est possible encore à son âge, étant donné son immaturité, que, bien encadré, et sans autre souci que lui-même, dans la camaraderie de jeunes de son âge, il se réveille et retrouve à employer son intelligence à réussir. J'ai vu des cas semblables où l'éloignement de l'adolescent stoppé dans son développement permettait de surcroît au couple de se rétablir ; en tout cas, de ne plus porter, par son échec, préjudice au moral du fils ou de la fille aînée – et, par voie de conséquence, aux autres enfants. Actuellement, la mère se ronge et camoufle les vols du fils auprès du père. Ces vols durent depuis plusieurs années. Elle n'a jamais fait rendre à l'enfant ce qu'il a volé. Elle est complice… hélas, comme beaucoup de mères qui se contentent de moraliser en paroles et de laisser faire.

Je le répète, à quatorze ans, ce garçon est en danger moral, déjà peut-être en détresse. Au cas où il n'accepterait ni la pension ni la psychothérapie, c'est elle qui devrait aller consulter pour changer sa propre attitude éducative, et sortir son couple de l'impasse.

Le droit de savoir
le prix des choses
(Argent de poche)

Voici une lettre qui concerne un thème encore jamais abordé ici : l'argent de poche. Une mère vous écrit que, lorsqu'elle était petite, elle faisait partie d'une famille nombreuse et complètement « fauchée ». Elle recevait un peu d'argent régulièrement, avec quoi elle devait tout payer, et faisait une sorte de gestion par elle-même. Son mari, lui, dans son enfance, recevait une petite somme chaque semaine et devait toujours rendre les comptes de ce qu'il achetait avec. Elle explique : « Résultat, mon mari est mauvais gestionnaire. Par contre, il a des envies absolument énormes, rêve de choses qu'il pourrait s'acheter. Lorsqu'il arrive à les acquérir, il en éprouve un plaisir extraordinaire. Moi, au contraire, j'ai refoulé toute envie, quelle qu'elle soit, et je ne sais pas rêver. » Et elle vous pose la question suivante : « On a voulu que nos enfants aient, très tôt, le sens de l'argent. On leur parle de la vie chère, des problèmes d'argent. On leur explique qu'il faut gagner son argent en travaillant, que cela nécessite un effort. On ne leur paie pas systématiquement tout ce qu'ils réclament. Mais est-ce qu'on ne risque pas, comme cela, de les rendre trop raisonnables, trop réalistes, et finalement de les empêcher de rêver ? »

Il y a beaucoup de choses dans ce témoignage et cette question ! Cette femme était dans une famille « fauchée », c'est-à-dire avec des parents « fauchés ». Probablement que ceux-ci ne se permettaient pas de rêver à ce qu'ils feraient « s'ils avaient de l'argent ». C'est pour cela qu'elle n'a pas de vie imaginaire. Parce que, finalement, tout le monde était logé à la même enseigne dans cette famille. Elle, elle a appris que l'argent était très précieux et a su le gérer dès qu'elle en a eu. Mais cela n'empêche pas qu'elle aurait pu rêver, quand elle était petite, en passant devant les magasins avec sa maman. Elles auraient joué, en faisant du lèche-vitrines, à offrir imaginairement des cadeaux aux uns et aux autres : « Tiens ! Je te donne ce beau parapluie, maman. Je te donne ce beau sac. J'achèterais cette belle cravate à papa si j'avais de l'argent, si nous en avions… » – avec le *si* qui permet le conditionnel et aussi de jouer avec l'amour représenté par des cadeaux, comme on peut bien s'amuser ! C'est ainsi qu'on aide les enfants à conserver une vie imaginaire.

Quant au mari de cette dame qui recevait de l'argent quand il était jeune, mais devait toujours rendre des comptes, en fait il n'en recevait pas vraiment. Quand je dis qu'un enfant peut recevoir de l'argent de ses parents, si c'est le style de la famille, je veux dire que, de même que les parents en ont un peu, eux, pour leur plaisir, il faut que l'enfant ait, à son niveau, un peu d'argent pour son plaisir. Que, par exemple, quand l'un des parents est content – a fait une affaire, si ce sont des gens dans le commerce, a réussi quelque chose si c'est quelqu'un dans la créativité, etc. –, il dise : « Tiens ! je suis content de moi aujourd'hui ! » Et ça se traduit par une petite pièce donnée à chacun. C'est un très grand bonheur pour l'enfant, parce qu'il se rend compte que l'argent fait partie d'un pouvoir que le père (ou la mère) a gagné et que ce pouvoir, il l'en fait aussi bénéficier, à sa façon et à son niveau. « Avec ça, qu'est-ce que tu vas t'acheter ? » demandera-t-on plus tard. Alors, l'enfant va rêver à ce qu'il pourrait avoir avec une pièce que papa lui a donnée, un jour où il était content.

Lorsqu'on veut apprendre aux enfants la valeur de l'argent, c'est en parlant en chiffres du prix des choses et du budget mensuel qu'on peut le faire, pas en disant : « La vie est très chère. Il faut travailler pour gagner de l'argent. » Pas avec des adjectifs et des adverbes ! Ce n'est pas du tout ça. Il faut que l'enfant sache le prix du pain, de la viande qu'on mange à table, des légumes ; qu'il sache aussi ce que coûtent ses vêtements, ce que des vêtements semblables pourraient à peu près coûter ; quel budget il faut prévoir pour lui quand il entre à l'école. Que chaque enfant le sache dès l'âge de six-sept ans, et pour beaucoup de choses. On peut lui expliquer : « Tu vois ça, c'est une gomme à tel prix », quand il a besoin d'une gomme ; ou, pour un crayon : « On a intérêt à prendre un bon crayon. Tu fais attention, quand tu le tailles, à le tailler intelligemment, pour qu'il te dure plus longtemps. Tu pourrais avoir un crayon bon marché, mais ils sont moches, les crayons bon marché. » Ou encore, au lieu de lui acheter les fournitures scolaires qu'il demande, on lui dit : « Je t'alloue tant pour la classe. Nous allons voir ce que tu peux avoir avec cette somme. » Et, avec lui, on calcule avant d'acheter : comme font les adultes, finalement. On parle ainsi de ce qu'est l'argent de façon concrète et à partir d'objets concrets de consommation et d'utilité. Aussi, pour les objets de plaisir. Mais tout cela n'a de sens que s'il sait ce que gagne son père, quel est le budget de la famille.

Enfin, lorsqu'un enfant a son argent, on lui conseille de savoir où il passe. Parce qu'il y a des enfants qui reçoivent une certaine somme par semaine et qui ne savent pas comment elle est partie. Ça file comme ça. On peut leur expliquer : « Si tu avais fait tes comptes, tu te serais aperçu qu'avec l'argent de ces trois ou quatre semaines que tu as dépensé en imbécillités ou en bonbons, tu aurais eu de quoi t'acheter ce dont tu as envie aujourd'hui. » Voilà. Des exemples concrets, pas des adjectifs ni de la morale…

Du concret, du réalisme. Ce qui donc n'empêche pas de rêver.

Absolument pas, pour peu qu'on parle avec des *si*. Dans notre vie de relations, il y a la réalité – et l'argent, c'est une réalité ; il y a le rêve – et l'argent permet de rêver. Avec une petite somme, l'enfant peut dire : « Je pourrais acheter ceci. » Les parents le mettent en garde : « Ne te dépêche pas parce que, demain, tu auras peut-être envie d'acheter autre chose. » Résultat : l'enfant, tout en faisant des économies (les enfants apprennent à en faire), apprend à rêver et constate qu'un rêve peut s'user aussi. On a parfois besoin de le réaliser, mais parfois, il s'use et on a envie d'autre chose ; l'enfant se dit alors : « J'ai bien fait de ne pas m'acheter tout de suite ce que je voulais, puisque, maintenant, c'est autre chose dont j'ai envie ! » Ça, l'enfant qui a de l'argent de semaine arrive à le savoir dès l'âge de douze-treize ans. Il sait qu'en temporisant avec son argent, il est maître du pouvoir que donne celui-ci. Car il ne faut pas que l'argent nous mène. Il faut savoir le mener, en faire quelque chose d'utile. S'il y parvient, il se dit : « Ça valait le coup de se payer ça ! » Autrement, les parents constateront : « Voilà, tu as voulu ça et c'est fini. Tout ton argent a filé. »

Et puis, il y a la vie symbolique. L'argent est aussi, malheureusement, un symbole de puissance. Mais quelle puissance, si on ne voit que celle-là, n'est-ce pas ? Là, les parents peuvent expliquer à un enfant : « Ton père a beaucoup de valeur à mes yeux, même s'il gagne moins d'argent que l'autre monsieur de l'étage. L'important, c'est que nous, nous avons le sens d'une valeur qui n'est pas seulement une valeur d'argent. »

On peut ainsi aider un enfant à comprendre à la fois la valeur symbolique de l'argent et sa valeur réelle dans le concret, et sa valeur imaginaire, sa valeur *si*…

Toujours à propos de l'argent de poche, une mère vous pose une question – qui recoupe un peu la précédente – à la lumière d'un fait assez étonnant. Elle a deux filles de treize et neuf ans et un garçon de huit ans. Un jour, elle et son mari sont partis faire un petit voyage ; ils ont laissé les enfants à la belle-mère ; lorsqu'ils sont rentrés, deux cent soixante francs avaient disparu, d'un porte-monnaie qu'elle laisse d'ailleurs toujours en évidence. Elle a été extrêmement déçue. Elle écrit : « J'en aurais pleuré. Je ne les ai pas tapés. Je n'ai pas pu ; je n'ai pas eu de réaction. J'ai essayé de leur expliquer. Mais croyez-vous qu'à leurs âges mes enfants soient capables de comprendre la valeur de l'ar-

*gent, de savoir qu'il représente le travail de leur père ? »
Voilà ce qui nous ramène à l'argent de poche : permet-il
d'éviter ce genre de mésaventure ?*

En fait, il ne s'agit pas seulement du problème de l'argent
de poche mais du problème de l'argent en général.

De l'argent ?

Oui. Ce qui est intéressant, c'est que cette dame se
demande si ses enfants, à leurs âges, peuvent connaître
la valeur de l'argent. Mais dans quel monde imaginaire les
a-t-elle laissés vivre ? Ce sont des enfants déjà en un sens
asociaux ; parce que ne pas connaître la valeur de l'argent
dès l'âge de cinq ou six ans, c'est être asocial, dans notre
monde. Je crois que tout est à ré-expliquer dans cette
famille. Ce que gagne le père. Ce que coûte le nécessaire, la
part laissée pour le superflu. Ce n'est que lorsque les enfants
ont compris cela, qu'on peut généralement laisser le porte-
monnaie familial en évidence. Pas avant.

*Je précise que ce sont les deux plus jeunes – huit et neuf
ans – qui ont volé l'argent.*

Dans notre société, les enfants voient de toute façon
d'autres enfants avoir de l'argent. Je ne sais pas si c'est bien
ou mal. Je n'ai pas d'opinion. Ça dépend des familles. Mais
ce qui est atterrant, c'est que ces enfants-là ne sachent pas
du tout ce que représente l'argent, ce que leur père gagne,
ce que coûtent leurs habits, un déjeuner, ne sachent pas, probablement, ce que coûte un bonbon ou un petit pain.

*Maintenant, ils le savent puisqu'ils se sont servis de cet
argent pour des achats.*

Ils le savent un petit peu, mais ce n'est pas entré dans le
langage de la vie courante. Ce porte-monnaie en évidence
n'avait-il pas l'air de leur être offert ? L'intérêt de l'argent
de poche personnel, je le répète, c'est justement qu'on peut

arriver assez tôt à ce que l'enfant ait son budget de loisirs, au moins à la semaine ; et qu'il sache que, quand il a envie de quelque chose – et Dieu sait si les enfants ont envie de tout –, il peut en parler, pas forcément pour se le procurer, mais pour en parler, car ce sont des sujets de conversation, les choses dont on a envie. C'est être vivant que d'avoir des désirs, mais ils ne sont pas tous réalisables. Vivre responsable, c'est savoir cela.

Il ne faut pas oublier qu'il y a seulement quarante ans, à douze ans, un enfant (pas dans les familles bourgeoises) travaillait, gagnait de l'argent et en donnait à ses parents pour la maison. Aujourd'hui, ce n'est plus pareil, mais il est rare tout de même de voir un enfant de treize ans qui n'a jamais eu à limiter ses goûts et ses désirs en fonction de son argent de poche, c'est-à-dire de ce qui lui est alloué pour ses loisirs. Il lui est alloué, en fait, le droit de savoir, donc, de faire des économies pour se procurer quelque chose qui coûte plus cher que ce qu'il peut se payer en une, deux ou trois semaines de son argent de poche ; et d'en parler.

Maintenant, généralisons. Je crois qu'il faut élever les enfants comme l'est, autour d'eux, la moyenne des enfants. Sinon, on les fait vivre dans un monde marginal. Il serait intéressant que les parents de ces trois enfants parlent avec d'autres parents de l'école : puisqu'il existe des groupes de parents d'élèves, qu'ils abordent cette question et se fassent une idée de ce que font les autres. Ou bien qu'ils demandent à chacun des trois enfants : « Tel camarade, est-ce qu'il a de l'argent de poche ? Et toi, combien en as-tu ? » Qu'ils soulèvent le problème. Je suis sûre que leurs enfants n'ont même pas osé leur en parler. C'est pour cela qu'ils en sont arrivés à ce vol impressionnant pour des enfants qui, jusqu'alors, n'avaient jamais manié d'argent. Inversement, je ne crois pas qu'il soit bon de donner trop d'argent à des enfants qui ne savent qu'en faire et se mettent à acheter des choses inutiles. Ce qu'il faut, encore une fois, c'est parler concrètement de l'argent, pour aider l'enfant à en comprendre la valeur : l'argent est un champ d'expérience important qui habitue l'enfant à la vie sociale.

Dans le champ de l'imaginaire
(Noël, contes, jouets)

On sent l'approche des fêtes de Noël à travers un certain nombre de questions.

Les enfants sont excités et les parents s'inquiètent !

C'est vrai. La mère d'un petit garçon de deux ans vous écrit :
« C'est la première année que je me sens réellement concernée par ces histoires de père Noël. Je ne sais si on doit ou non parler du père Noël à un enfant, mais j'ai l'impression qu'on fait un énorme mensonge en lui parlant de ce personnage un peu mythique qui descend par la cheminée pour apporter des cadeaux. Ne serait-il pas possible de faire passer le merveilleux – dont vous dites que les enfants ont besoin – en parlant tout simplement de la nuit de Noël : "Les parents déposent des cadeaux dans les chaussures, quand il fait nuit et que les enfants dorment", etc.? Sans père Noël, ne pourrait-on quand même entourer la fête de Noël de toute une part de féerie ? » Et elle ajoute : « Je crois que c'est surtout à soi-même que l'adulte fait plaisir avec son père Noël. »

Cette dame n'a pas besoin de parler du père Noël à son fils, puisqu'il n'a que deux ans. Elle peut dire : « On met les chaussures dans la cheminée. Il y aura des cadeaux demain matin. » Seulement, c'est l'enfant qui entendra parler du père Noël par d'autres enfants autour de lui. Et un jour, il lui demandera : « Est-ce que le père Noël existe ? » Elle répondra : « Je ne sais pas, mais je sais qu'il y a des cadeaux à

Noël. » Et puis – je l'ai déjà dit –, nous avons tous au cœur envie de donner des cadeaux-surprises : alors, on appelle ça le père Noël… Elle fera comme elle voudra, n'est-ce pas ? Mais c'est une histoire jolie et poétique. Elle est dans le champ de l'imaginaire. Il y a aussi le champ de la réalité. Je crois qu'il faut préserver les deux et ne pas penser que nous disons des mensonges à un enfant quand nous lui parlons d'un mythe.

Un mythe n'est pas un mensonge. C'est une vérité sociale qui s'accompagne de rites sociaux. L'important est d'éviter que ces rites ne soient plus que rituels. Je pense à ces parents qui font des scènes tout le temps et puis, un beau jour, « fêtent » Noël : repas amélioré, mais aussi menace qu'il n'y ait pas de cadeau, scènes, gronderies, confiscation du jouet « donné » par le père Noël ; où est la fête ?

Pour revenir à l'enfant, on peut s'amuser à le déguiser en père Noël dès qu'il en a envie, c'est-à-dire à trois ans et demi. Il sera le père Noël qui va mettre les cadeaux dans les souliers de ses parents. Et s'il voit un père Noël dans les magasins, on lui dira : « Tu vois, c'est un monsieur déguisé en père Noël. » L'enfant demandera : « Mais le vrai ? » « Le vrai, on ne sait pas. C'est quelqu'un qui ne boit pas, qui ne mange pas, qui n'a pas eu un papa et une maman, n'est pas né et ne meurt pas. C'est quelqu'un d'imaginaire. » Et l'enfant comprendra très bien.

Une autre question de cette même dame concerne les livres de contes. C'est vrai qu'en période de Noël, on se demande quoi offrir, à qui, et quelles sortes de contes pour quel enfant ? Elle écrit : « Je m'étais mis dans l'idée qu'il fallait bannir des histoires comme Le Petit Poucet, Blanche-Neige *ou* La Chèvre de M. Seguin *jusqu'à un certain âge. »*

Oui. Et celui-là n'a pas encore l'âge.

Mais elle a entendu dire qu'il ne fallait pas craindre d'angoisser les enfants avec ce genre d'histoires. « On m'a dit, écrit-elle, que ces formes d'angoisses apaisaient celles qui existent déjà chez l'enfant ou, du moins, pouvaient les canaliser. Je ne sais trop qu'en penser parce qu'il est si tentant de raconter des histoires terrifiantes : on est sûr de passionner les enfants. La peur est-elle vraiment indispensable pour les appâter, capter leur attention ? Là encore, je trouve que l'adulte se fait drôlement plaisir devant la crédulité des enfants. »

Puisqu'elle sent les choses ainsi, qu'elle fasse comme elle le ressent avec son enfant, tout simplement. Une autre mère sentirait la question différemment… Il n'y a pas un bien et un mal, un « il faut » ou un « il ne faut pas ». Tout dépend de la sensibilité des enfants, et elle ressemble généralement à celle des parents. Il y a des enfants qui racontent des histoires terrifiantes et qui aiment beaucoup cela. De toute façon, l'important, c'est qu'ils dessinent leurs histoires, et que, quand on leur en raconte, on leur montre des images. Ils ont besoin d'illustrer leur dire par des images. La preuve, c'est que ce petit garçon-là m'a fait un dessin : il a éprouvé le besoin d'illustrer la lettre de sa mère pour m'envoyer sa propre demande et établir sa propre communication avec moi.

Cela dit, je crois qu'elle a raison : les contes de Perrault qui, au XVIIe siècle, étaient des contes d'adultes, sont devenus des contes pour les enfants, mais pas pour les enfants de deux ans.

Pour quel âge, alors ?

Six, sept ans. Ce sont des contes symboliques qui ont certainement une résonance dans l'inconscient de l'enfant, qui répondent à des craintes qu'il a eues quand il était tout petit : par exemple, retrouver son chemin parce que le monde est très grand ; ou se demander « Est-ce qu'il y aura assez d'argent pour manger ? » quand il entend sa maman s'écrier : « Il n'y a plus de sucre. Ah, là là ! Nous avons oublié d'en acheter. Et aujourd'hui c'est lundi tout est fermé ! » Tout à coup, l'enfant se dit : « Tiens, il pourrait manquer quelque chose. » Que les mamans qui sentent leur

enfant sensible à une remarque comme celle-ci expliquent :
« Tu vois, c'est cette histoire-là qu'on a racontée ! » Car une
fois vécu dans la réalité, un petit événement peut parfois
paraître énorme – surtout si la maman fait une scène pour
quelque chose qui n'a pas d'importance. En fait, ce n'est
pas terrible. Mais l'enfant, lui, ne voit pas les nuances.

Il n'y a pas de quoi jeter au feu La Chèvre de M. Seguin…

Il faut voir, n'est-ce pas, qu'à l'époque où ces contes ont
été écrits et racontés, tous les enfants de familles pauvres
manquaient du nécessaire, et que le conte répondait, chez
les adultes, à des fantasmes qui leur étaient restés de l'enfance. Actuellement, les enfants fabulent sur n'importe
quoi. Laissons-les fabuler. Je vous assure qu'ils n'écoutent
pas ce qui ne les intéresse pas. Naturellement, il ne faut pas
raconter de force à l'enfant une histoire qui nous fait plaisir
à nous, ni, comme dit cette dame « vouloir terroriser l'enfant ». Que chaque mère fasse comme elle pense. Il n'y a
pas une « bonne façon » de penser. Les contes sont bons
pour les enfants qui les aiment. Et, en général, les enfants
les aiment parce que leurs mères ne trouvent pas ça idiot.
Mais il y a aussi des mères qui culpabilisent leurs enfants
d'aimer des histoires pas vraies… Alors ces enfants-là
affectent de dédaigner tout ce qui est imaginaire… C'est le
procès de la littérature, finalement !

*Voici une question qui concerne les jouets, les types de
jouets à donner suivant les différents âges des enfants.
Beaucoup de parents se posent cette question. On parle
souvent aussi de jouets éducatifs. Il faut bien dire qu'il y a,
d'une part, les jouets éducatifs et, d'autre part, les jouets
très commerciaux qui n'ont peut-être pas tellement d'intérêt. Que pouvez-vous dire à ce sujet ?*

C'est très difficile. Je crois que les jouets à donner sont
d'abord ceux que l'enfant demande. Pour ceux-là, c'est

simple. La maman emmène son enfant dans un magasin à un moment d'heure creuse – pas, évidemment, quand il y a foule, avec l'enfant qui touche à tout. (Qu'elle prévienne un magasin et demande : « A quelle heure peut-on venir sans trop déranger ? Parce que je voudrais voir mon enfant au milieu des jouets pour me rendre compte de ce qui l'intéresse. » C'est comme ça qu'on voit.) Et pendant une ou deux heures, elle laisse l'enfant libre, en le regardant du coin de l'œil et en bavardant avec les personnes qui sont là. Une vendeuse suit l'enfant pour qu'il ne fasse pas trop de blagues et parle avec lui. Que ce ne soit pas la maman qui le fasse sinon, ce qui l'intéresse, elle, fatalement, sur le moment, intéressera l'enfant (je parle d'enfants de moins de cinq ans ou sept ans). Elle note ce qui retient l'enfant et elle voit ensuite ce qui va avec sa bourse – parce qu'il y a aussi cela.

Pour les jouets à choisir sans l'enfant, je crois qu'on oublie que tout ce qui est à assembler intéresse beaucoup les enfants jusqu'à cinq ans : les puzzles, les jeux de constructions, les pantins, les bonshommes qu'on défait et qu'on reconstitue. (Pas les poupées qui se défont, par contre. Celles qui peuvent facilement perdre leur tête, leurs bras ou leurs jambes, comme on en fait maintenant, conviennent aux parents parce qu'elles ne sont pas cassables : mais pour les enfants, ce n'est pas très bon. Car les poupées, ce sont des représentations humaines à cajoler.) Et puis, il y a les jouets qui font rêver, préférables aux jouets très perfectionnés et mécaniques qui ne durent pas : on les remue, on tourne une clé et puis ils fonctionnent pendant une journée ; après, ils se cassent, ou on perd la clé, et ils n'intéressent plus du tout l'enfant ; ça amuse les parents de faire picorer un oiseau ou sauter une grenouille, mais ça n'intéresse pas longtemps les enfants. En fait, rien ne vaut les jouets solides, petits : les autos, naturellement, pour les enfants, et bien au-delà de la simple enfance, jusqu'à quatorze, quinze ans parfois ; les jouets que l'enfant construit et déconstruit ; les trains électriques – tout le monde sait que c'est pour les pères, mais il n'empêche que ça intéresse aussi les garçons, à partir, disons, de douze ans, car avant ils ont besoin du père. Les poupées ? Je suis contre les poupées qui font tout (qui pleurent quand on leur appuie par-ci, par-là, qui font pipi…) parce que… Qu'est-ce qu'elles ne font pas ? Justement c'est cela qui va manquer. L'enfant ne s'intéresse pas du tout à ce qui se répète. Il veut pouvoir rêver sur un objet. Si on lui donne une poupée comme ça, tant pis, tant mieux : mais ce n'est pas celle-là qu'il voudra.

Une poupée qui parle, qui marche, qui tète…

Ce sont des curiosités scientifiques. Pour l'enfant, la poupée à cajoler, ce n'est pas ça. Ce qu'il aime, ce sont les poupées molles, douces, jolies de visage et puis beaucoup d'habits. Je ne sais pas non plus pourquoi c'est la mode de faire des poupées qui regardent en coin. Moi, ça me choque beaucoup. Il paraît que les poupées qui regardent les enfants les angoissent. Peut-être cela a-t-il été le cas une fois, avec un enfant craintif et peureux, et on en a conclu qu'il ne fallait plus faire de poupées qui regardent en face. Je ne trouve pas ça très malin, parce que, quand on regarde une poupée qui vous regarde en coin, eh bien, on ne se sent pas la mère de ce bébé, n'est-ce pas ?

Une fois de plus, faire confiance aux enfants…

Encore une chose qu'on ne sait pas, c'est que les ballons à gonfler (par centaines il existe des sacs de cent ballons), c'est fantastique pour les enfants petits et même jusqu'à sept, huit ans : ce n'est pas dangereux dans la maison, ni pour les carreaux ni pour les objets, on peut taper dedans, les dégonfler, les regonfler, les tripoter, les percer. C'est merveilleux, le jeu des ballons gonflables.

Une autre question : Que pensez-vous des très, très grosses peluches ?

La grande dimension des animaux en peluche et des poupées est dangereuse pour les enfants. La proportion de la masse de l'enfant à la masse du jouet, quand il est éveillé et qu'il joue, n'importe pas. Malheureusement, les jouets sont dans un coin de la pièce et, à certains moments, quand l'enfant est fatigué ou malade, ils prennent une importance dans l'espace beaucoup plus grande que l'enfant lui-même qui, alors, se sent affaibli. En fait, un jouet d'enfant (un nounours en peluche, une poupée, etc.) ne devrait pas avoir une taille supérieure à la longueur comprise entre le bout du médius de l'enfant et le creux de son coude. Pour chaque enfant, c'est la bonne proportion, parce qu'elle représente celle du bébé pour un adulte.

Toujours à propos des jouets, voici un témoignage assez terrible d'une mère qui a trois filles de cinq, trois et un an. « En période de fin d'année, les enfants, en général, sont beaucoup trop gâtés. Une année, mes deux plus grandes filles se sont amusées, après avoir reçu une bonne douzaine de cadeaux, à piétiner jusqu'à la casser complètement une dînette qu'elles venaient de recevoir. » Elle a mis cette dînette à la poubelle et, immédiatement, les enfants se sont empressées de jeter tous les vieux jouets qui ne les intéressaient plus. Et elle poursuit : « Depuis, quand mes filles reçoivent un cadeau, nous leur laissons juste le temps de le découvrir et leur retirons ensuite en disant : "C'est à toi, mais tu as tous les jours pour jouer avec." » Et puis, il y a tout un système organisé dans cette famille : on ne laisse aux enfants qu'un seul jouet à la fois ; celui-ci doit être rangé soigneusement dans sa boîte avant qu'elles puissent en avoir un autre. Les enfants viennent chercher leur mère pour lui montrer qu'elles ont bien tout rangé avant d'avoir l'autorisation de sortir un autre jouet. Et la mère termine par cette phrase : « J'évite de leur offrir ce qu'elles aiment pour qu'elles puissent au moins rêver de quelque chose d'inaccessible. »

C'est stupéfiant ! Cette mère voudrait que ses enfants rêvent à quelque chose… En fait, c'est le contraire qui se produit. Elles ne peuvent pas rêver : elles sont tellement dans la réalité ! Et puis, elle ne comprend pas que la fête – la « fête » au sens d'éclater, d'être heureux –, ça peut être pour un enfant d'écraser des joujoux. Et surtout, qu'un joujou cassé, à moins que les morceaux ne soient dangereux, doit être laissé dans la caisse à jouets : car les enfants s'amusent beaucoup plus, par moments, avec des morceaux de jouets qu'avec des jouets tout neufs. Je dois dire que ce style d'éducation promet de graves troubles à ces enfants, dans l'avenir. Les jouets doivent absolument appartenir en propre à l'enfant et ce qu'il en fait ne regarde plus du tout les parents. Ce qui est donné est donné, pour en faire de la chair à pâté si cela amuse l'enfant.

Il n'y a pas de droit de suite des parents sur les jouets.

Non ! C'est fini. Et il ne faut jamais confisquer un jouet à un enfant. C'est quelque chose de sadique. Et si on confisquait à une mère son enfant ? Enfin ! Les jouets, ce sont les enfants des enfants. Elle est inadmissible, cette lettre, à tel point que nous nous sommes demandé si cette correspondante ne nous faisait pas une blague. Mais non, ça a l'air vrai.

Et puis, cinq, trois ans et un an, c'est aussi trop jeune pour ranger.

On ne peut pas ranger sans danger avant quatre ans. On peut aider un enfant à ranger à partir de quatre ans : il range une chose sur dix, et la maman range le reste ; et, comme je l'ai dit, le soir, au moment où l'enfant va se coucher, parce que tout se couche en même temps. Mais le monde doit vivre autour de l'enfant. Or, son monde, ce sont tous ses jouets épars autour de lui. On range le soir, et c'est ça vivre ! Ces enfants-là sont dans un monde… inhumain.

Eh bien, j'espère que cette mère pourra un petit peu réfléchir à tout cela.

En tout cas, moi, je conseille aux parents de donner à leurs enfants les jouets dont ceux-ci ont envie et de ne jamais les leur cacher, ni les leur confisquer après qu'ils les ont reçus. S'ils n'en veulent pas, ils les mettront dans un coin et joueront toujours avec les mêmes. Mais ce qui appartient à un enfant lui appartient. Quant à donner à d'autres enfants les jouets inutilisés, il le faut bien ; mais c'est l'enfant lui-même qui doit choisir ce qu'il donne. Que les parents ne croient pas qu'il doive toujours donner des jouets entiers, car les enfants, à l'hôpital ou dans les garderies, qui ont besoin de jouets, sont souvent beaucoup plus contents d'un jouet abîmé que d'un jouet neuf. Il faut aussi des jouets neufs, mais pas uniquement ceux-là. Les enfants aiment les morceaux de jouets.

Une autre question à propos des jouets. C'est une lettre d'une maman qui vous demande s'il faut donner tous les jouets en double à des jumeaux, de faux jumeaux, garçon et fille, qui ont dix mois ?

Dix mois ! Non, je crois qu'à dix mois, il vaut beaucoup mieux qu'il y ait de la variété. Qu'on ne s'interdise pas de donner parfois deux exemplaires du même jouet, mais, surtout, que cela ne soit pas un principe. Et quand ils grandiront, s'ils demandent chacun le même jouet, pourquoi pas ? Je conseille de différencier les enfants jumeaux au moins quant à leurs vêtements pour qu'ils puissent les échanger et ne soient pas toujours habillés pareil, surtout pour que leurs camarades fassent bien la différence – en particulier pour des jumeaux qui se ressemblent, ce qui n'est pas le cas ici, puisqu'ils sont garçon et fille, il est préférable qu'ils aient des vêtements, des cahiers différents. Mais, pour les jouets, – de même qu'à tous les enfants – on doit donner ce que l'enfant désire : si deux enfants désirent le même jouet, eh bien, qu'ils l'aient ! Jumeaux ou d'âges voisins, ne pas en faire un principe.

La réalité et l'imaginaire
(La fuite, la peur, le mensonge)

Trois lettres bien différentes touchent pourtant à la même difficulté. Une espèce de refus de la réalité. Voici d'abord une famille où il y a un garçon de cinq ans, un de vingt-six mois et une petite fille de quatre mois. Le grand pleurait, étant petit, d'une façon très inquiétante, d'après les grands-mères qui l'ont élevé : sans bruit et en allant jusqu'au bout de son souffle. On se demandait s'il allait reprendre sa respiration.

C'est quelque chose d'assez proche de ce qu'on appelle le « spasme du sanglot ».

Et puis, ça s'est très bien arrangé. Mais, maintenant, c'est son frère qui les inquiète. Il pleure, paraît-il, silencieusement, mais surtout jusqu'à se « tétaniser ». Il se raidit, les mains et le corps à la renverse. Après ces petites crises, il émerge, perdu, tout surpris et très fatigué. Pour éviter qu'il ne se blesse – il tomberait n'importe où, n'importe comment –, quand on s'aperçoit qu'il commence une de ces sortes de colères (et il faut y faire attention parce que tout se passe dans le silence), on l'allonge par terre, sur le ventre. La maman ne s'inquiète pas trop. Elle écrit : « Ça lui passera puisque c'est passé pour l'aîné. »

Elle a certainement raison. Mais elle écrit encore quelque chose qui me semble important : « Je vous signale qu'il n'a pas commencé à pleurer de cette façon à la naissance de sa petite sœur. Il le faisait déjà avant. Il a commencé à l'époque de Noël, après une grosse rhino-pharyngite avec quarante de fièvre. » Or, ce qui m'intéresse, c'est que la mère était juste enceinte de trois mois. Et c'est généralement à ce moment-là, lorsqu'une mère est enceinte de trois mois, que celui qui est né avant fait des difficultés d'ordre psychosomatique : parce qu'on ne lui a pas dit la nouvelle, peut-être, ou qu'il l'entend dire sans que ce soit adressé à sa personne.

Quoi qu'il en soit, je crois qu'on peut aider cet enfant, quand il est ainsi, non pas en le couchant par terre, mais au contraire en le prenant dans les bras, et en lui disant tout bas à l'oreille : « Ce n'est pas parce que tu as une petite sœur que tu es moins aimé. » Une fois qu'il sera revenu à son état normal, qu'on lui explique : « Tu te rappelles quand tu as été malade, à Noël ; tu savais que ta maman attendait une petite sœur et on ne te l'avait pas dit, mais toi, tu voulais retourner dans le ventre de maman parce que tu sentais bien que quelque chose se préparait. Tu avais raison ! » Je suis convaincue qu'en quelques « colères », cela passera.

Si le cas est exceptionnel, il permet de rappeler à toute mère enceinte, même de quelques mois, qu'il faut le dire à ses enfants.

Pas toujours aussi tôt. Parce que attendre ensuite plusieurs mois, pour un enfant, c'est très long. A moins que celui-ci n'ait manifesté quelque chose, comme dans le cas que nous venons de voir. Là, l'enfant – un enfant de vingt-deux mois – était sensible et aussi télépathe – les enfants le sont, nous le savons, quand ils sont petits.

Mais je crois que ça va s'arranger.

Je serais tentée de me demander si le grand frère n'a pas, lui aussi, un peu fui la réalité dans la vie imaginaire, d'après ce qu'on nous écrit sur la façon qu'il a de jouer avec des tas de ficelles, des machines fictives ; il n'aime pas que son frère vienne déranger tout ça, parce qu'il veut rester dans son monde imaginaire, il ne comprend absolument pas la plaisanterie, ni même le rôle des mots. Il est toujours dans les manipulations. Je crois qu'il faudrait que le père mette ses deux garçons au parfum de ce que la réalité est différente du rêve, en jouant matériellement avec eux. Ainsi guériront certainement ces petits troubles de fuite de la réalité.

On voit, une fois de plus, l'importance de la parole…

Et aussi de la sensibilité de chaque enfant devant un fait qui l'a un peu perturbé.

Changeons un peu de sujet : la peur chez les enfants. Une petite fille de dix ans a peur d'aller étudier seule ses leçons dans sa chambre si les parents sont dans une autre pièce ; d'aller se laver les dents seule après un repas si les parents sont, eux, par exemple, dans la cuisine ; de monter seule voir une petite amie qui habite deux étages au-dessus. Elle ne le fait que si sa petite sœur ou un des parents l'accompagne. La maman demande : « Est-ce parce que nous n'avons jamais voulu les laisser seules, même cinq minutes, quand elles étaient bébés ? »

Oui, je crois que ça veut dire que la mère elle-même avait peur. Cette enfant s'est identifiée à elle et a développé une personnalité craintive.

La mère précise qu'effectivement elle-même a très peur des risques d'accidents, du feu, du gaz, des chutes, etc. Elle dit : « Je ne laisse pas mes enfants aller seules faire des courses. Je leur interdis, par exemple, formellement d'aller chercher leurs vélos dans le sous-sol [elle habite un grand ensemble] parce qu'on a peur des rôdeurs. J'ai un peu la peur des grands ensembles. »

En tout cas, il ne faut surtout pas se moquer de l'enfant. Et toujours éclairer tous les endroits sombres. On pourrait peut-être lui faire cadeau d'une lampe électrique qui serait suspendue par un cordon, pour qu'elle puisse éclairer partout où elle veut ; et aussi lui demander de dessiner ce qui lui ferait peur ou de raconter ce qu'elle imagine. Parce que c'est une enfant très imaginative et qui ne raconte pas ses rêves. Que, lorsqu'elle a peur, la maman lui dise : « Viens, nous allons voir toutes les deux. Tu vois, ce sont des choses… » Et qu'elle les lui fasse toucher ! Je crois aussi que c'est une enfant qui n'a pas été habituée à toucher les objets – comme je l'ai souvent recommandé – et qui, à cause de ça, reste dans l'imaginaire, sans référence senso-rielle. Quand un enfant a compris que les objets ont des contours, que ceux-ci sont fixes et qu'on peut en faire le tour, quand il comprend qu'il peut tout toucher, il n'a plus peur de ce qu'il imagine, parce qu'il connaît les choses et sait qu'on les aborde de plusieurs façons. Il sait qu'il y a la réalité et l'imaginaire, que ce n'est pas du tout pareil. Si, pour le plaisir, on aime à conjoindre l'imaginaire à la réa-lité, il faut aider l'enfant à faire la critique du possible et de l'impossible lorsque la confusion de ces deux champs de représentation l'angoisse et lui gâche la vie. Est-ce que, dans cette famille, le père ne pourrait pas aider ses filles à critiquer la mère qui a peur de tout ? On en rirait tous ensemble. Être prudent, ce n'est pas être obsédé par des dangers totalement imaginaires.

Un certain nombre de lettres vous demandent enfin de parler du mensonge. En voici une d'une mère qui ne sait quelle attitude adopter devant les mensonges de sa fille unique de six ans. Depuis la rentrée des classes, celle-ci a la fâcheuse habitude de « trafiquer la vérité ». La mère se demande si un enfant de six ans est suffisamment conscient pour savoir ce que sont le mensonge et la vérité. Ce pro-blème la contrarie d'autant plus que le mensonge semble être commis avec un grand naturel.

L'âge où un enfant fait la différence entre la fiction et la réalité est très variable. Il est difficile de répondre précisé-ment à cette dame, parce que comprendre l'enfant ne peut se faire que sur le plan des choses concrètes et elle ne nous cite pas d'exemple des mensonges de l'enfant.

Il peut y avoir différentes raisons pour lesquelles l'enfant ne dit pas la vérité.

Il peut s'agir de ce que nous appelons mythomanie : la petite fille raconte une fable, une chose pas vraie mais gratuite, qui ne gêne ni ne protège personne, qui est une simple invention. Bien sûr, il faut préserver la vie imaginaire d'un enfant. Il en a besoin. C'est la poésie des humains, parce qu'il y a si peu de choses que nous sommes capables de réaliser, nous sommes si impuissants que nous imaginons ce que nous ne pouvons pas avoir ni faire. La poésie et la comédie sont faites de ça. Pourquoi les adultes regardent-ils la télévision ? Parce que c'est du « pas vrai ». Nous baignons tous dans ce « pas vrai » qu'est la culture.

Il peut s'agir aussi d'une enfant qui cherche à entrer en contradiction avec sa mère, et qui ne l'a pas rencontrée dans le jeu. Je crois que la mère devrait chercher ce qu'il peut y avoir de drôle, pour l'enfant, à mentir. Et qu'elle réponde à partir de choses concrètes : « Je ne sais pas si c'est vrai, ce que tu me dis. Tu vois, ça, c'est la table, elle est blanche. Si tu me dis qu'elle est noire, je penserai : "Est-ce qu'elle a des yeux qui voient bien ?" ou " Elle dit ça pour rire, parce qu'elle voudrait qu'on joue à se disputer sur la couleur de la table." »

Cette dame pourrait peut-être aussi se demander si elle et son mari n'ont jamais dit de mensonges à l'enfant. Par exemple, à propos de la naissance des bébés ou, au moment de Noël, au sujet du père Noël (thème qui se rencontre souvent dans la magie des enfants) : l'enfant sait déjà la vérité par des petits camarades et on continue à lui dire que le père Noël est vrai « pour de vrai », alors qu'il est vrai « pour de rire ». Or, le « pour de rire », c'est un autre champ que celui de la vérité, c'est le champ, le territoire, si l'on peut dire, de la poésie.

Bref, il faut chercher à comprendre cette enfant et non pas la gronder.

Peut-être, encore, l'enfant a-t-elle déjà faussement mis en

cause quelqu'un, pour une action dont elle était seule responsable ? Certains enfants mentent pour se déculpabiliser,
simplement parce qu'ils sont intelligents. Il faut leur donner
le sens de la responsabilité. C'est très important ! J'ai
entendu des enfants dire du « pas vrai » juste « pour que ce
soit plus vrai », parce qu'ils ne comprenaient pas quelque
chose… Je me rappelle, à ce propos, une anecdote : un jour,
j'ai trouvé un placard que je venais de fermer, ouvert, et le
contenu de joujoux répandu par terre. Mon fils, qui avait
alors vingt mois et parlait très bien, me dit que c'était son
petit frère (âgé de trois mois alors) qui était venu l'ouvrir.
Je fus très étonnée ; jamais il ne mentait. Or, peu de temps
après, en marchant à un certain endroit, tout près du placard
– un endroit où un adulte passait rarement, parce que c'était
tout contre le placard –, je vis celui-ci s'ouvrir et ce qu'il y
avait à l'intérieur dégringoler. J'avais compris ! Après avoir
refermé la porte, j'ai appuyé de la main, avec le poids
qu'un enfant peut avoir, au même endroit et le placard s'est
ouvert. J'ai appelé mon fils et lui ai montré : « Tu vois, lorsqu'on marche là, le placard s'ouvre. » Il m'a dit : « Mais
oui. Je te disais ! – Tu me disais quoi ? Que c'était ton
frère ? Tu sais bien qu'il ne peut sortir de son berceau tout
seul. – Je te disais que c'était pas magique. » Il avait voulu
trouver un responsable parce qu'il avait peur que ce soit
quelque chose de magique, si ce n'était pas lui, ni moi ni
son père. C'était donc son petit frère ! Et voilà ! J'ai
compris là que ce qu'au commencement je prenais pour un
mensonge, n'en était pas un. Ou plutôt, si en effet c'en était
un, c'était une explication à ses yeux plausible : puisque ce
n'était pas lui, c'était son frère. Ceci montre qu'il faut réfléchir beaucoup à la raison pour laquelle un enfant dit
quelque chose qui nous paraît mensonge ou absurdité.

Et ne pas se mettre en colère…

Autant que possible ! La colère n'arrange jamais rien. Il y
a, en tout cas, quelque chose de fautif de la part des parents
lorsqu'ils pressent leur enfant : « Si tu dis que c'est toi, je

ne te gronderai pas » : or, quand un acte, mettons gênant ou nuisible, a été fait, l'enfant doit arriver à l'assumer. Et il l'assume beaucoup mieux si on lui dit : « Ce sont tes pieds, ce sont tes mains, ce n'est pas toi qui voulais ; je sais qu'il arrive que les mains fassent des choses que la tête ne voudrait pas faire », etc. Il faut parler et réfléchir avec l'enfant, mais ne jamais le tarauder pour savoir la « vérité ». Il ne faut jamais laisser un enfant s'enferrer dans un mensonge à but de disculpation, surtout quand il n'y a aucun danger en jeu. L'acte est commis. Il nie en être responsable parce qu'il ne peut assumer sa culpabilité ? Il faut arrêter là. Dire : « Bon, je vois que tu as trop honte pour avouer. Tu as raison, mais fais en sorte de ne pas recommencer… – Mais si je te dis que c'est pas moi ! – Bon, je te crois… Et puis ce qui est fait est fait. N'en parlons plus. Sache surtout, que même fautif, je t'aime et je te fais confiance : alors, toi, pardonne-toi ta bêtise si tu l'as faite ; et si tu ne l'as pas faite, pardonne-moi de t'avoir suspecté. » La leçon porte à long terme. Et cela vaut mieux qu'un drame.

Que la réalité demeure
dans les mots de la réalité
(Dire la mort)

La mort : un thème qui revient à travers les lettres. En voici deux. La première vient de parents qui vous demandent comment parler, à leur enfant de huit mois, d'un frère mort qu'il n'a pas connu et qui pourtant, est resté très présent dans leur cœur. La seconde est d'une mère qui a eu des jumeaux garçons il y a dix-sept mois. L'un, après être resté hospitalisé un mois et demi, est mort à l'âge de trois mois. Elle vous demande comment l'autre jumeau peut ressentir cette perte et comment lui en parler.

En ce qui concerne l'enfant de huit mois dont le grand frère est mort, deux choses me semblent à dire aux parents. La première est que cet enfant, qui est présent dans leur cœur, qui était aimé, a sa place à garder ; et il est bon qu'en famille ou avec des amis, on continue d'en parler devant le petit. La seconde est que, chaque fois qu'on en parle – ça peut déjà être fait à huit mois, ç'aurait déjà pu être fait –, on lui dise : « Nous parlons de ton grand frère que tu n'as pas connu. » Notez bien le mot. Parce que rien n'est plus nocif pour des enfants dont un aîné est mort en bas âge, que de leur parler du « petit frère » ; leur mère a tendance à dire : « Mon petit un tel qui est mort » ; je crois qu'il faut dire au contraire « ton grand frère » ou « ton aîné », « tu es le second ». Il est important que, toujours, l'enfant entende qu'il est le second et qu'il a été la joie des parents, lui à qui, par bonheur, le destin a permis de dépasser l'âge auquel les parents continuent de se référer quand ils pensent à l'aîné. Lorsque nous avons perdu un être cher, nous avons tendance à le revoir au mieux de sa forme ; quand c'est un adulte, on le revoit jeune, même si, de temps en temps, on pense à sa vieillesse… Mais quand il s'agit d'un enfant mort tôt, les parents ont tendance à se souvenir de lui tel qu'il était les derniers mois de sa vie. Ça les aidera beaucoup de parler à leur fils du grand frère « qui aurait tel âge ». Au fur et à mesure que l'enfant grandira, on lui expliquera : « Tu n'as pas ton frère. Ça t'aiderait peut-être si tu l'avais vivant, mais qui sait s'il ne t'aide pas, en étant quand même parmi nous, puisque nous y pensons ? » Ce qu'il ne faut pas faire, c'est idéaliser cet enfant défunt : lui, serait parfait, lui, n'aurait pas fait de bêtises, etc.

Je retiens, en tout cas, qu'on peut parler de la mort d'un frère, même à un bébé très jeune.

Oui. Et à la première occasion, probablement le 1ᵉʳ novembre, au moment de la visite des cimetières, au moment où nous y allons porter aux morts témoignage de la pensée des vivants, il sera bon que le bébé y aille avec ses parents – sans qu'on en fasse un pathos – et qu'on lui parle du grand frère mort, disant : « C'est ici qu'il repose. »

A ce propos, nous avons là un témoignage. C'est la lettre d'une mère dont le petit garçon a, en ce moment, deux ans. Un mois et demi après la naissance de celui-ci, elle a perdu son fils aîné, qui avait trois ans, mort subitement d'une grave maladie. Elle avait également une petite fille de quinze mois qui adorait ce frère. La mère constate : « Un bébé peut comprendre beaucoup de choses et il faut ne rien lui cacher, mais lui dire la vérité. » A preuve, la petite fille de quinze mois qui a eu, à la mort de son frère, de gros troubles : elle l'a cherché pendant des jours et des jours ; elle en avait abandonné ses jouets. A dix-neuf mois, on l'a conduite sur la tombe du frère ; elle s'est complètement calmée à partir de ce jour.

C'est très important, cet exemple. Pourquoi la vérité porte-t-elle ? Il serait compliqué d'en détailler les raisons, mais ce que je veux au moins faire remarquer, c'est que si elle n'est pas dite, dans les termes même que les adultes emploient pour affronter ces souffrances si difficiles à accepter, qui sont une part inévitable de nos épreuves, eh bien, l'enfant construit dans sa tête des fantasmes beaucoup plus dramatiques encore pour lui. Par exemple, cette petite fille de quinze mois qui cherchait son frère mort, pouvait croire que la maman l'avait jeté au cabinet, que le papa et la maman l'avaient mangé… – toutes ces choses qu'on trouve dans les contes de fées et auxquelles les enfants pensent. Il faut que la réalité demeure dans les mots de la réalité – c'est-à-dire de l'expérience des choses – et dite très simplement. Les parents croient que l'enfant va souffrir de la mort. Bien sûr ! Plus tard ! Mais cette enfant-là, c'était de l'insolite qu'elle souffrait, et cet insolite aurait pu la lancer dans une magie dont elle ne se serait pas sortie.

Quant à son petit frère de deux ans, la maman ne dit pas s'il a des difficultés vis-à-vis de cet aîné qui est mort. Mais comme il se trouve maintenant l'aîné des garçons, il est important qu'il lui soit dit très tôt : « Nous avions un fils qui était l'aîné. Toi, tu es le second » et qu'il ne prenne pas la place de cet aîné dans le cœur de ses parents, même s'il l'a maintenant devant la loi. Chaque être humain est irremplaçable pour ceux qui l'ont aimé.

Revenons à ces jumeaux dont l'un est mort.

La maman demande ce que l'autre peut ressentir. Ce n'est pas une question à laquelle nous sachions répondre, ce que peut ressentir un enfant… Ce que nous pouvons faire pour l'aider, c'est, comme dans le cas précédent, saisir l'occasion de conversations avec d'autres personnes, des conversations dont l'enfant est témoin, pour dire : « Oui, ils seraient deux si X… avait vécu. » Si l'enfant relève cette parole, on lui expliquera : « Il est mort parce qu'il avait fini de vivre, alors que nous espérions qu'il vivrait autant que toi. C'est bien que, toi, tu sois vivant ; et ce n'est pas mal qu'il soit mort. Peut-être que tu le regrettes, parce que, quand vous étiez dans mon ventre, vous étiez tous les deux ensemble. Un jour, ce compagnon a disparu de ta vie. Mais, qui sait s'il ne te protège pas de là-haut où il est ? » Cela, évidemment, selon les croyances que les gens ont. Je pense que les parents doivent dire *leur* vérité, celle de tous et puis la leur, quand ils ont des croyances. Même si l'enfant dit : « Mais, ça, tu n'en es pas sûre ! », on peut lui répondre : « Peut-être, mais ça me fait du bien de le penser. »

Voici maintenant le témoignage d'une mère qui a long-temps hésité à vous écrire pour la simple raison que ce qui s'est passé, à l'occasion d'une scène qu'elle vous raconte, ne cadre pas avec ce qu'elle pensait devoir arriver.

Elle vous avait entendu parler de la mort et de la façon dont on peut l'aborder avec les enfants : leur expliquant qu'on meurt parce qu'on a fini de vivre, une réponse, disiez-vous qui, en général, libère l'enfant de l'angoisse. Or, elle a une fille de huit ans ; et il y a quatre ans, une petite voisine, qui était une grande amie de la famille, et de la petite en particulier, est morte subitement sans raison apparente. (Elle n'avait jamais eu de maladie et jouait, ce jour-là, tout simplement à côté de sa mère.)

Cette femme écrit : « Au bout de quatre années, la peine commence à s'estomper un peu. Nous allons souvent au cimetière porter des fleurs ; mais ma fille ne cesse de me parler de son amie morte. Après vous avoir écoutée, je me suis adressée à elle avec beaucoup de confiance et lui ai donné les explications que j'avais entendues de vous. Sa réaction n'a pas du tout été celle que vous aviez prévue : elle a été très, très violente. Elle s'est mise à crier : « C'est idiot ! Tu te moques de moi. Bien sûr, j'ai fini de vivre si je suis morte. Mais alors, si cette petite fille, le matin, avait demandé la même chose à sa mère, sa mère lui aurait répondu : "Non, tu n'as pas fini de vivre", et elle serait morte quand même. » La mère a été bouleversée par cette

*révolte et par l'angoisse qu'elle sentait chez sa fille. Pour
arrêter la scène, elle lui a dit qu'elle n'en savait pas plus et
a essayé de la calmer.*

*Quelques jours plus tard, elles ont réabordé tout cela.
L'explosion de colère n'avait pas dissipé l'angoisse de
l'enfant, comme la mère l'avait espéré sur le moment. Elle
lui a alors parlé d'une dame très âgée : « Tu sais, quand
cette dame était jeune, si elle avait demandé quand elle
mourrait, sa mère n'aurait pas pu lui répondre. » Elle vous
demande de reprendre ce thème « parce que le problème
revient constamment. La semaine dernière encore, ma fille
m'a demandé très doucement : "Arrête-moi à mon âge
parce que je ne veux pas changer d'âge pour vivre tout le
temps." Je ne sais que lui dire, sinon que je l'aime et que
j'espère que nous vivrons tous les cinq (il y a trois enfants)
très longtemps. »*

Je crois que cette enfant vit quelque chose de complexe,
qui a l'air d'être en rapport avec la mort de sa petite amie,
mais qui est, en fait, plutôt en rapport avec son âge – huit
ans. Il est probable qu'elle fait actuellement des cauchemars.
Les enfants, vers sept, huit ans, font des cauchemars sur la
mort de leurs parents, ou d'eux-mêmes, mais généralement
de leurs parents. Et ils se sentent coupables de leurs rêves.
A partir de ces cauchemars, ils réfléchissent à l'éventualité
de leur mort et, surtout, de leur abandon. La colère de cette
fillette contre sa mère déguisait une moindre confiance dans
le tout-savoir des parents – moindre confiance nécessaire
chez les enfants de cet âge, qui découvrent, en effet, que
leurs parents ne sont pas tout-puissants et tout sachants.

Si cette petite fille continue de parler de son amie, il faut
que sa mère l'aide à faire sortir toutes ses colères, y compris
celles qui sont dirigées contre certains cauchemars qu'on a,
qu'on ne peut pas ne pas avoir ; pas plus qu'on ne peut
grandir sans avoir perdu ses dents de lait. L'enfant ne s'est
pas arrêtée à l'âge de sa petite amie, elle a continué à vivre,
elle a huit ans. Je crois qu'elle a besoin d'entendre de la
bouche de sa mère qu'il y a des choses difficiles à vivre

mais que cela ne veut pas dire que vivre ne soit rien que pénible et que s'arrêter de vivre arrangerait tout. Quand on s'arrête de vivre, c'est comme si on jouait à être une chose. Les choses ne pensent pas, n'aiment pas, ne vivent pas. Il faut aussi lui expliquer : « Mais oui, c'est très difficile de quitter l'enfance pour devenir une grande fille, surtout que tu n'as plus cette petite amie pour bavarder de tout ça. Mais qu'attends-tu pour te faire d'autres amies ? »

Et si l'enfant reparle de la mort : « Je ne peux pas te dire autre chose : celui qui meurt, au moment où il meurt, est en accord avec ce qui se passe. Il comprend sans doute ce que nous, vivants, ne comprendrons qu'en mourant. Mais toi, si tu ne veux pas être en accord avec ta vie tant que tu es vivante, autant dire que tu veux devenir une chose. Et moi, je ne veux pas avoir une fille qui est une chose. » N'est-ce pas ? Il n'y a pas de vie sans la certitude de la mort un jour. Et c'est même parce que nous sommes certains de mourir que nous nous savons vivants. L'important c'est d'accepter notre destin : alors la vie prend son sens.

Peut-être faudrait-il cesser d'amener cette enfant au cimetière. Que la mère y aille, elle, mais que si la petite ne demande pas à y aller, on ne l'y emmène plus. Parce que ce culte pour les cimetières l'empêche, à la longue, de changer d'amies : comme si elle devait rester fidèle au souvenir de cette amie-là et ne pas s'en faire de nouvelles. Voilà ce que je peux dire.

Au total, je pense que la colère de l'enfant, à propos de la mort de son amie, il y a quatre ans qu'elle aurait dû l'exprimer. Elle l'a alors refoulée. C'est heureux qu'elle ait pu enfin l'exprimer. Mais actuellement, ce qui surgit est une colère nourrie par l'angoisse d'autres cauchemars et d'autres angoisses : devant l'idée qu'elle grandit et ne peut plus aimer son papa et sa maman de la même façon que jadis. Elle voudrait garder les illusions de l'enfance. Elle entre dans l'âge de la raison, elle prend conscience de son impuissance, de celle de ses parents, de celle de tous les humains devant le mystère de la vie et de la mort. Peut-être se pose-t-elle des questions sur le sexe, le sien, sur le rôle des hommes et des femmes dans la mise au monde d'un enfant, sur le plaisir qu'elle éprouve et qu'elle croit peut-être fautif. Il faut lui dire que le désir de donner la vie dans l'acte sexuel ne suffit pas, si un être humain ne désire pas naître et survivre. Que nul ne sait ce qu'est la vie, ni la mort. Nous n'en connaissons que les conditions, les plaisirs et les peines.

Et puis la mère trouvera les mots pour lui exprimer du mieux qu'elle peut son désir qu'elle vive et son amour pour elle.

Prendre du plaisir tous ensemble
et chacun à sa place

Un père, qui a deux enfants de trois ans et deux mois et demi, vous demande conseil sur deux plans bien précis. Sa femme et lui ont de petits problèmes entre eux à cause des repas des enfants. L'aîné, quand il est à table, refuse souvent de manger parce qu'il veut jouer ou se promener dans la maison. La mère prend cela très au sérieux : « Elle se rend malade, écrit le père, quand elle voit que l'enfant n'a rien pris. Pour ma part, j'ai plutôt tendance à le laisser faire et à considérer que ce n'est pas très important ; après tout, j'ai été élevé comme ça : quand je n'avais pas faim, je ne mangeais pas et je mangeais mieux le repas suivant. » Je crois qu'on peut déjà répondre à cette question : est-il important, pour un enfant de trois ans, de prendre des repas réguliers ?

Absolument pas ! Ce qui importe avant tout, c'est que les repas se déroulent dans une atmosphère agréable. C'est-à-dire que les parents, d'abord, doivent eux-mêmes prendre du plaisir à table ; qu'en même temps qu'ils se sustentent, ils mangent ce qui leur plaît. Quant à l'enfant, s'il a faim, qu'il mange. S'il ne mange pas, que les parents lui disent : « Tu as raison. Si tu n'as pas faim, il ne faut pas manger. » Ce n'est peut-être pas qu'il n'a pas faim, d'ailleurs, c'est qu'il aime mieux aller jouer. Généralement, à trois ans, c'est cela. Or, qu'il mange plus à un repas, moins à un autre, n'a aucune importance. Vous savez, manger régulièrement est une notion venue tardivement dans l'humanité. Ce n'est pas du tout nécessaire avant l'âge de la vie sociale. C'est vers sept ans que l'enfant se règle, aussi bien pour la nourriture que pour les autres besoins. Avant, avoir des repas réguliers est tout à fait inutile. Après, c'est commode. Mais, de toute façon, ce n'est pas indispensable.

C'est-à-dire que si l'enfant s'adapte bien à des heures de repas régulières, tant mieux ; sinon, tant pis, il peut ne manger que quand il a faim ?

Oui, mais de petits « casse faim », et seulement à sa demande : un enfant ne se laisse jamais mourir de faim. Mais il peut avoir la faim coupée par l'obligation de manger. Surtout, ce qu'il faut pour tous, je le répète, c'est que les repas des parents, pour eux, soient quelque chose d'agréable. Alors, que la mère laisse tomber, qu'elle ne gâche pas l'ambiance du repas pour elle et pour son mari, ni la joie de vivre de son enfant. D'ailleurs, à trois ans, généralement, les repas que l'enfant préfère sont le petit déjeuner et le goûter. Le soir, il mange à peine. Surtout, que les parents n'en fassent pas cas. Le père a raison : il a été élevé comme ça et est très bien devenu homme. Qu'il aide sa femme à accepter le rythme de l'enfant au lieu d'en faire l'occasion d'une espèce d'épreuve de force. On dirait que c'est l'estomac de la maman qui est dans le corps de son fils !

Le père remarque ensuite que les problèmes de son fils de trois ans sont apparus depuis la naissance du bébé, qui a maintenant deux mois et demi : l'habillage, le déshabillage, notamment, sont devenus pénibles. Mais c'est surtout le coucher qui est difficile, parce que l'enfant veut aller au lit à la même heure que ses parents, qui vont dormir aux alentours de onze heures. Le père écrit : « Lorsque ma femme essaie de le coucher vers huit heures, huit heures et demie, elle a beaucoup de mal. Elle y arrive de temps en temps, mais à condition de s'allonger à côté de lui. »

Là, ils sont partis tout à fait de travers. A trois ans, cet enfant n'a plus besoin d'être couché par sa mère. Qu'on le laisse simplement tranquille, prêt à dormir, toilette faite, en pyjama, tricot ou robe de chambre, et qu'il laisse ses parents tranquilles à partir d'une certaine heure dont le père doit décider : il jouera dans sa chambre ou se couchera selon son gré, mais sans plus déranger les adultes, sans faire de bruit. C'est le père qui doit régler cela.

Le père demande : « Peut-être, depuis la naissance de son frère, a-t-il besoin qu'on s'occupe plus de lui ? »

Sûrement ; mais ni comme d'un bébé ni comme d'un homme, n'est-ce pas ? Ce dont il a besoin, c'est d'être traité comme un grand garçon qui va se coucher dans sa chambre – je l'ai déjà dit plusieurs fois. S'il ne veut pas aller au lit très tôt, que son père joue un moment avec lui, aux dominos par exemple, voilà un jeu très bon, ou à faire des puzzles, ou à raconter une histoire sur des images. Et que le père, à une heure dont il décide – neuf heures, neuf heures et quart, ça dépend des enfants et des parents –, l'envoie dans sa chambre en lui disant : « Maintenant, c'est fini. Tu me laisses tranquille avec ma femme. Tu te couches quand tu en as envie. Si tu n'es pas fatigué, tu joues. Mais nous, nous voulons être tranquilles, sinon je me fâche. »

Maintenant, il y a deux mois et demi que le petit frère est né. Il est possible que les parents aient annoncé une petite sœur – ça arrive souvent quand l'aîné est un garçon – ou qu'ils aient été déçus que le bébé fût un second garçon. Alors, le grand ne comprend pas que, tout-puissants, les parents acceptent ce non désiré. Que le père, dans ce cas, parle à l'aîné en lui disant que c'est la vie qui décide et non les parents. Quand il a été conçu lui-même, c'est lui qui a voulu être un garçon ; son père, son frère de même ; lui est le grand, l'autre le petit ; et ils ne peuvent pas être pareils ni avoir le même rythme de vie. Lui, bientôt, ira à l'école, se fera des copains Son petit frère n'a pas besoin de lui, il ne sait encore que faire dans ses couches, téter et crier.

C'est au père de donner toutes ces explications, parce que le fils est à l'âge de s'identifier au père. Il a besoin que son père s'occupe de lui, lui montre comment se laver, s'habiller, se coucher seul comme un grand. Car lui est en même temps tenté de faire comme sa maman et aussi comme son petit frère. Bref, il ne sait plus si c'est bien de s'identifier à un adulte, et de quel sexe, ou à un bébé, et s'il doit jouer au mari tyran de sa femme ou au bébé qu'il a été en régressant. Alors il s'ingénie à angoisser sa mère pour rivaliser avec le bébé qui a besoin de ses tétées régulières, d'être habillé, déshabillé, changé ; et il rivalise avec son père, en demandant à sa mère de dormir avec lui.

Voici une lettre charmante, témoignage de l'expérience d'une famille de cinq enfants. La femme écrit : « Nous vivons depuis trois ans dans une ferme et ne dépendons que de notre travail. L'éducation de nos enfants nous paraît essentielle, ainsi que la présence du père dans cette éducation. Celui-ci n'est plus considéré, comme en ville, comme la machine à rapporter de l'argent : il participe à la vie des enfants. Trop souvent, les parents se méfient, se placent presque en ennemis face à leurs enfants, essayant de lutter contre leurs défauts sans "se faire avoir". Et les enfants ont l'impression que leurs parents sont contre eux. On voit aussi beaucoup de parents, surtout dans les milieux cultivés, qui se mettent au service de leurs enfants comme si ceux-ci étaient des rois. Ici, nous essayons d'être ensemble, avec tout ce que cela comporte d'exigences de la part des uns et des autres pour se comprendre, s'aider, et se respecter. Par exemple : les gros mots sont autorisés, sauf s'ils gênent quelqu'un (grands-parents, visiteurs) ou s'ils sont une insulte à autrui (on peut jurer tant qu'on veut lorsqu'on se tape sur un doigt, mais pas se permettre de dire "Ta gueule !" ou "Salaud !" à un autre). Quant à l'éducation sexuelle, elle se fait naturellement par l'observation des relations entre animaux (béliers et brebis, coqs et poules, etc.) basées sur l'instinct, et par la comparaison avec les liens et le respect qui existent entre nous, les parents. »

On croirait vous entendre.

Le lettre explique ensuite la vie de tous les jours : ils ont la chance d'avoir de la place, dans de vieilles bâtisses très inconfortables, pour recevoir des gens très divers, aussi bien des jeunes que les grands-parents ou des amis des grands-parents. Les enfants ont de deux à onze ans. L'aîné fait sa sixième. Les trois suivants vont à l'école du village, qui n'a que douze élèves – si les écoles étaient toutes comme ça ! A la campagne, le travail de survie commande tout, et chacun, petit ou grand, y participe selon son âge et ses capacités. Il n'y a pas de « tours de rôle » pour les travaux de la maison : chacun choisit ce qu'il fera au jour le jour (balayage, vaisselle, etc.). Les enfants font la garde des bêtes deux jours par semaine, et à deux, alternativement, en choisissant leur compagnon. Les deux enfants qui ne sont pas de garde leur apportent le goûter. « Je ne peux encore prévoir comment se passera l'adolescence, écrit cette personne, mais je crois que le fait d'avoir très jeune des responsabilités, proportionnées à leur âge, permet aux enfants d'aborder la vie avec une vision objective et sérieuse des choses. Croyez-moi, malgré le travail, il leur reste du temps pour construire des cabanes ou faire des téléphériques entre les arbres. » Voilà un témoignage « humble », dit-elle ; moi, je dis « merveilleux ». Merci.

Une fillette de dix ans pose, elle, beaucoup de problèmes à ses parents. Ceux-ci ont l'impression qu'elle traverse une mauvaise période. Elle ronchonne tout le temps et pour tout, parle dans sa barbe, d'un ton geignard. Les repas se passent souvent dans les pleurs. Et la mère explique que tout a commencé après des vacances qu'elle et son mari ont prises en laissant leur fille à la grand-mère maternelle. Elle se demande si l'attitude de l'enfant n'est pas une manière de se faire remarquer et d'avoir un petit peu d'affection – quoique ces vacances aient été très courtes puisqu'elles n'ont duré que huit jours.

L'attitude de cette enfant vient de ce qu'elle a souffert de la solitude, de l'éloignement et de l'absence de ses parents, peut-être pour la première fois, pendant les vacances. Mais ce n'est pas pour se faire remarquer.

D'autre part, l'enfant a eu très jeune des problèmes médi-caux. Elle a été opérée d'un strabisme assez fort à un an et demi, puis à trois ans et demi et à six ans. De plus, à l'âge de quatre ans, elle a eu une éruption de psoriasis qui revient périodiquement depuis deux ans. La mère précise encore que la grand-mère paternelle préfère le frère aîné qui a treize ans. Elle écrit : « Ce changement d'attitude est inter-venu il y a environ six mois chez ma fille. Ne pensez-vous pas qu'il pourrait annoncer la puberté ? Parce qu'elle dit souvent qu'elle a mal au ventre, mais je ne sais pas si c'est de la comédie ou la réalité. Sa poitrine est légèrement gon-flée. Pourriez-vous expliquer comment se passe, sur le plan du caractère, la puberté ? »

Il y a plusieurs questions ici. D'une part, le problème par-ticulier de cette enfant et, d'autre part, le problème général de la préparation d'une fillette à la puberté.

J'ai l'impression que cette enfant a été très marquée par ses problèmes d'yeux. Peut-être cela l'aiderait-elle si sa mère lui expliquait que, toute petite, elle a souffert d'être séparée de sa famille et mise dans l'obscurité (c'est ce qui se passe dans les jours suivant l'opération) et qu'à cause de ses yeux, jus-qu'à six ans, elle a peut-être cru qu'elle n'était pas jolie. Sou-vent, lorsqu'un enfant est opéré des yeux, ses parents lui disent qu'on le fait pour qu'ils soient plus beaux ensuite. Ce n'est pas vrai – un petit défaut des yeux n'empêche pas la beauté –, mais l'enfant le croit. Il est possible aussi, comme l'écrit la mère, que cette enfant se sente moins « réussie » que son frère du fait de la préférence de la grand-mère paternelle pour ce dernier.

Mais la mère précise dans sa lettre que, lorsque la grand-mère gâte le grand frère, elle-même essaie de compenser vis-à-vis de sa fille.

C'est important cette lutte entre les deux femmes.

Elle écrit : « C'est tellement visible [la préférence de la grand-mère pour l'enfant de treize ans] que, pour prendre le contre-pied, j'ai l'air de chouchouter plus ma fille que mon fils – ce qui donne lieu, de la part de ma belle-mère, à un jugement un peu hâtif à mon encontre. »

Si c'est ce que fait la grand-mère vis-à-vis du garçon de treize ans – le « chouchouter » –, je le plains. Parce que, dans une famille, c'est toujours le préféré qui est à plaindre pour l'avenir, jamais l'autre. Même si ce dernier en souffre un peu, étant petit, c'est lui qui, plus tard, aura le plus d'indépendance. Alors, qu'elle ne s'inquiète pas du comportement de sa belle-mère envers sa fille. Qu'elle lui dise en manière de plaisanterie : « Tu vois, ta grand-mère, elle est vieille. Elle aime les petits garçons parce qu'elle se sent trop vieille pour plaire à un monsieur et se remarier. Il faut la plaindre. » Et aussi : « Tu deviens grande. Tu es l'aînée des filles. Lui est l'aîné des garçons. Garçon et fille, tu sais, c'est absolument différent. Et toi, en tant que fille, tu es réussie, tu ne pourrais pas l'être plus. Même si tu as eu des difficultés avec tes yeux quand tu étais petite. » De temps en temps, ce genre de conversation entre femmes où la mère donne à sa fille confiance en elle et en sa féminité, aide beaucoup plus que des chouchouteries.

Elle peut aussi, peut-être, parler à l'enfant de ses maux de ventre, en l'éclairant : « Je ne sais pas si tu as mal dans ton ventre qui digère ou si tu as, en ce moment, tes ovaires et ton utérus qui se préparent pour tes premières règles », et lui expliquer cela. « Tu devrais en être fière ! » Et encore : « Tes seins commencent à se développer. Bientôt, nous achèterons ton premier soutien-gorge. » Elle peut profiter de cette occasion, pour lui offrir un petit cadeau de jeune fille, une broche, un bracelet (même si la petite ne le met pas), en lui disant : « Tu vois, tu deviens jeune fille. »

D'autre part, cette fillette a-t-elle des amies ? Parce qu'à dix ans elle devrait en avoir, les inviter, aller chez elles. Je crois qu'il lui faudrait des activités hors de sa famille. C'est une enfant qui s'ennuie et qui ne sait pas, peut-être, qu'elle est jolie et qu'elle a de la valeur. Car il n'est pas fait mention du père dans la lettre. La mère dit bien que la grand-mère paternelle aime dans son petits-fils la réplique de son fils quand il était petit, mais elle ne dit pas qui est en train de soutenir la féminité hésitante de la fillette, féminité qui est peut-être menacée du fait qu'elle cherche à s'identifier à son frère, qu'elle se croit lésée et que sa mère même la croit lésée en la comparant à lui, gâté et surprotégé. Voilà ce que la mère doit comprendre et aider sa fille à comprendre. J'ajoute un détail : une autre fois, quand elle et son mari partiront en escapade, elle fera bien de confier sa fille à une famille amie plutôt que de la jumeler à son frère.

Plus généralement, maintenant, pouvez-vous nous expliquer comment, sur le plan du caractère, se passe la puberté pour une petite fille ?

C'est une profonde transformation pour l'enfant, elle s'ennuie parfois ; les frères et sœurs, papa et maman, ne suffisent plus, elle a besoin de sortir du milieu familial. Quelquefois, elle a peur d'en sortir. Il faut alors l'y aider, l'inscrire dans un groupe, un atelier de jeunes, un séjour de vacances, mais sans la lancer tout de suite dans un milieu totalement inconnu. Cette femme, par exemple, pourrait emmener sa fille en week-end chez des parents ou des amis qui ont des enfants de son âge. Ou même, ils pourraient partir tous les trois, père, mère et fille, mais sans le frère qui ne peut plus être une constante référence : ils auraient ainsi l'occasion de parler tranquillement – à l'occasion d'une petite sortie, d'un dîner, d'un voyage, on parle davantage n'est-ce pas ? En parlant, on peut découvrir ce qui intéresse l'enfant, ses goûts, ses projets personnels d'avenir, l'encourager à se trouver un groupe de fillettes ou un groupe mixte de son âge, lui donner confiance.

Il faut insister, à cet âge, sur les conversations avec chacun des deux parents, séparément. Mais là, attention : père et mère ne doivent pas se raconter l'un à l'autre le contenu des confidences que le jeune garçon ou la jeune fille leur ont faites personnellement. Ce serait trahir sa confiance. Tout au plus, peuvent-ils encourager l'adolescent à demander conseil à l'autre parent, en lui faisant comprendre qu'un père et une mère ne voient pas les choses de la même façon et que deux points de vue différents sont éclairants, surtout quand ce sont ceux des deux parents. Chacun de ceux-ci a tendance, d'ailleurs, surtout pour les aînés, à réagir selon l'éducation qu'il a reçue, et cela aide le jeune à se mieux comprendre dans ses difficultés et ses contradictions : il prend conscience des points communs mais aussi des différences entre ses parents et est renvoyé à l'époque où ils ne se connaissaient pas encore. Si on ne veut pas qu'un mur de silence se dresse entre enfants et parents, vers dix, onze ans, chacun des parents doit ainsi provoquer des tête-à-tête avec chacun de ses enfants. Les provoquer et les répéter, toujours dans le cadre d'une activité intéressante pour tous les deux, l'adulte comme l'enfant.

Tu voulais naître
et nous voulions un enfant
(Éducation sexuelle, questions directes)

Un problème revient souvent dans le courrier. C'est celui de l'éducation sexuelle ou plutôt des réponses que les parents cherchent, quelquefois de façon bien compliquée, à donner aux questions de leurs enfants. Ici, il s'agit de deux petites filles de quatre et trois ans, dont l'aînée a demandé récemment à ses parents d'où elle et sa sœur venaient. Les parents ont commencé par donner une explication par les fleurs. Ils ont eu l'impression que la petite fille n'accrochait pas, ne comprenait pas. Alors, dit la mère, « nous lui avons finalement expliqué que nous les avions eues après un acte sexuel, elle et sa petite sœur. Elle n'a d'ailleurs pas eu l'air d'être choquée de cette réponse ». (Donc, elle pensait d'abord que la petite fille risquait d'être choquée.) Elle vous demande : « Est-il courant que des enfants de cet âge posent ce genre de questions ? Pensez-vous que nous avons eu raison de répondre par la vérité ? » Je précise, pour que le tableau soit complet, que c'est une famille très libre, où tout le monde prend ses bains ensemble, les enfants, le mari et la femme.

Il faut répondre comme ils l'ont fait, directement. Expliquer que c'est par l'acte sexuel qu'un corps d'enfant commence à se constituer dans le ventre – on peut dire la « poche à enfants » qu'ont toutes les filles et qui devient plus grande quand elles sont mères, quand elles sont femmes. Mais je crois que la question que posait l'enfant était en même temps une question métaphysique. Eux, ils ont répondu à la question physique. Eh bien, il faut aussi dire aux enfants qu'ils sont nés parce qu'ils ont désiré naître. Car l'acte sexuel, ça n'explique pas tout. Je connais beaucoup d'adolescents qui croient que, s'ils sont, par exemple, trois enfants, c'est que les parents ont fait trois actes sexuels ; puisque, soi-disant, c'est l'acte sexuel qui fonctionne – comme si c'était un fonctionnement de concevoir un enfant ! Beaucoup d'enfants ne posent pas la question directement aux parents, mais se la posent entre eux. Leurs conversations à la maternelle sur ce sujet se réduisent souvent à un geste : « Ah oui ! c'est comme ça qu'ils font les parents » – et ils mettent l'index d'une main dans le creux de l'autre main refermée ; mais, sans paroles ni référence au beau ou au laid, au bien ou au mal. Le geste leur semble crédible et naturel.

Ces parents ont ici très bien répondu. Mais ça ne suffira pas, parce que, un jour, leur fille demandera : « Mais pourquoi ? » Il faudra alors expliquer : « Parce que tu voulais naître et que nous voulions aussi un enfant. Nous nous sommes rencontrés tous les trois et tu as commencé à pousser dans mon ventre. » Il ne faut pas en rester au fonctionnement qui fait, si j'ose dire, d'un corps, de la viande humaine.

Il faut aussi parler d'amour.

Absolument ! Et aussi du plaisir qu'on y prend quand on s'aime. Et en même temps, dans la foulée, quand les enfants continuent à en parler et à poser des questions, leur dire que l'acte sexuel ne peut conduire à procréer un enfant que lorsque le corps de la fille et celui du garçon sont devenus adultes ; et qu'entre un homme et une femme qui le désirent tous les deux, et qui ne sont ni frère et sœur, ni mère et fils, ni fille et père ; parce que c'est la loi de tous les humains du monde entier. On a écrit beaucoup de livres – et il y en a qui sont bien faits – sur l'initiation des enfants à la naissance. Mais, pour ma part, je n'en connais qu'un qui enseigne à l'enfant, en même temps que le savoir sur la vie physique et la reproduction, l'interdit de l'inceste. Or ça doit être dit en même temps. Cela devrait même être dit à l'école, en maternelle, dès que les enfants abordent cette question. C'est là la différence entre les humains et les animaux.

En vous écoutant, je pense que ce genre de thème, il n'y a pas tellement longtemps, était encore tabou et que, souvent, dans les familles, on ne répondait pas aux questions des enfants. Là-dessus, vous êtes catégorique : il est normal qu'un enfant pose de telles questions, aux alentours de quatre, cinq ans, et il est encore plus normal de répondre franchement sans travestir les choses.

Oui. Mais il ne faut pas non plus s'étonner que, deux ou trois ans après, les mêmes enfants aient complètement oublié ce qui leur a été répondu. En effet, la réponse qu'on leur donne maintenant est tout à fait en accord avec ce qu'ils savent de tout temps (car, qu'ils ont été conçus, ils le savent : l'inconscient sait tout). On leur répond par des paroles qui sont sensées au regard de ce moment-là. Mais, en grandissant, les enfants se créent des fantasmes parfois sadiques et des fabulations farfelues concernant la conception et la naissance, qui sont vrais « aussi », pour eux : c'est le monde de l'imaginaire. Il ne faudra pas leur dire alors : « Mais, que tu es bête ! Tu le savais quand tu étais petit ! » Il faudra leur redire la vérité, parce qu'ils l'auront oubliée, sans s'étonner s'ils veulent pourtant continuer de croire en leurs fantaisies. Il suffit de rire : « Bien, très bien, imagine ce que tu veux, mais pour de vrai, c'est ce que je t'ai expliqué. »

Voici une lettre qui illustre ce que vous venez de dire des fantasmes et fabulations sur la naissance. Il s'agit d'une famille où il y a deux garçons, de six et trois ans, et où on attend un bébé pour le mois de mai. L'aîné est persuadé qu'il a le bébé dans son ventre à lui et il faut faire attention, quand on l'embrasse, à ne pas trop serrer le bébé. Il n'a pas du tout été d'accord quand ses parents lui ont expliqué que

*son père ne l'avait pas porté et il reste convaincu du
contraire. Comme c'est une petite fille qu'il espère cette
fois, il pense même qu'il fera mieux que son père qui, lui,
n'avait « fait », que deux garçons ! C'est quand même étonnant. Cela veut-il dire que, dans cette famille, on n'avait pas
parlé de ces choses-là avec suffisamment de clarté ?*

Je ne sais pas. Ce garçon est justement à la période où les
petites filles dont il était question tout à l'heure auront
oublié ce qui leur a été dit. Il ne s'intéresse d'ailleurs pas du
tout à la manière dont le bébé a été conçu. Il ne s'occupe
que de l'avoir dans son ventre à lui, en tant qu'il s'identifie
à sa mère encore, comme tous les petits garçons et filles, et
au fait qu'il va, pense-t-il, le mettre au monde. Peut-être
veut-il rivaliser avec elle, nier sa puissance à elle. Il a une
idée de gestation magique. La mère écrit même qu'il dit
que ce bébé-là parle et chante, selon lui, *Petit Papa Noël*,
etc. Il vit dans le fantasme d'être aussi valeureux que sa
mère et d'être « dans une situation aussi intéressante »
qu'elle (comme on dit). Son association au père Noël, ce
grand vieux lutin tout puissant, est tout à fait de son âge. Il
résiste encore à admettre le monde de la réalité, et à accepter que les hommes dont il est fier de partager les avantages
n'aient pas les prérogatives génitrices des femmes.

*Est-ce pour cela qu'il a l'air désespéré quand on lui dit
la vérité ?*

Cet enfant est en train de vivre ce qui s'appelle, dans notre
jargon de psychanalystes, la « castration primaire du garçon », c'est-à-dire que, s'il est avantagé à ses yeux du point
de vue de la forme sexuée de son corps parce qu'il a une
verge, il n'est pas du tout content de n'avoir que cela, parce
qu'il voudrait à la fois être mâle dans ses génitoires et avoir
la prérogative de mettre des bébés au monde comme les
femmes : il voudrait tous les signes de puissance à la fois.
Ce qu'il y a de terrible chez nous, humains, c'est que nous
ne pouvons être que d'un seul sexe et que nous ne pouvons

que fabuler les plaisirs et les désirs de l'autre sexe. C'est pour cela que les hommes et les femmes ne se comprennent jamais. C'est déjà bien quand ils peuvent s'entendre ! Et ce petit garçon, lui, il ne veut pas entendre. Il veut comprendre, et comprendre, pour lui, c'est concret. Il comprend que sa mère va avoir un bébé ; il l'admet. Cela ne doit d'ailleurs pas lui faire tellement plaisir de voir une ou un rival arriver, parce qu'il a dû être jaloux de son petit frère, même si on l'a oublié.

Alors, que va-t-il se passer à la naissance du bébé ?

Je n'en sais rien. S'il faut dire à ce garçon la vérité biologique, il faut aussi respecter son monde imaginaire, savoir qu'il parle sur le plan de la fabulation. Lui dire : « Tu crois ? », et puis en rire, c'est tout. Il faut lui expliquer : « Tu sais, tous les papas ont été des petits garçons qui auraient bien voulu aussi avoir un bébé dans leur ventre. Bien des mamans voudraient être des papas ; bien des papas voudraient être des mamans, bien des petites filles voudraient être des petits garçons et bien des petits garçons, des petites filles. » C'est toujours comme ça : quand c'est valeureux d'être une fille, pour un garçon, il voudrait être une fille ; et inversement. Reconnaître que la réalité du sexe peut être en contradiction avec le désir imaginaire chez d'autres que lui, c'est déjà le reconnaître humain, soumis aux difficultés de beaucoup, c'est déjà l'aider à s'accepter dans sa condition de petit homme.

L'important, c'est que toute mère réponde à la question de la vie : « Sans homme, une femme ne peut pas devenir mère », et que tout père réponde : « Sans femme, un homme ne peut pas devenir père. »

Pour le moment, ce garçon est à l'âge où, là-dessus, on rêve. Laissons-le rêver. Il sait très bien la vérité, mais il ne veut pas l'admettre encore.

En tout cas, pas de drames en perspective.

Mais non ! Bien sûr. Tout le monde passe par là !

A propos d'explication, j'ai reçu une lettre assez sou-
riante. Quand on avait parlé des problèmes de sexualité
chez les enfants, précédemment, vous aviez évoqué le lan-
gage des graines...

Oui, parce que c'est un langage courant. Mais peut-être
vaudrait-il mieux changer de vocabulaire.

En effet, cette maman nous écrit qu'elle a expliqué à son
enfant l'histoire des graines et que celui-ci a brusquement
refusé de manger les fruits et les légumes porteurs de
graines : les tomates, les fraises. Il dessinait tout le temps
des arbres avec des fruits, et des maisons remplies de
cerises. « Pensant que ces indices étaient en relation avec
mes explications, écrit-elle, j'ai repris le sujet, à la pre-
mière occasion, et il m'a dit qu'une grande plante allait
pousser dans son corps. »

Il y a deux choses à noter ici. D'une part, l'idée de la ger-
mination de toute graine et, d'autre part, l'idée que, dans un
estomac, une graine de plante pourrait germer. Ce n'est pas
d'une graine de vie humaine qu'il parle et a peur. Peut-être
cet enfant est-il intelligent et pense-t-il à des pépins d'oran-
ges, des graines de fruits, des noyaux de cerises. Il faut lui
expliquer que l'estomac digère tout et que les graines
de plantes ne se développent que dans la terre. Et que,
d'autre part, ce n'est pas dans le tube digestif que la
semence humaine peut donner vie. Dans les explications
données à ce garçon, il ne lui a sans doute pas été dit que
c'est l'union sexuelle des deux parents qui a permis la rencontre des graines de vie du père avec les graines de vie de
la mère, et que l'enfant qui pousse dans la poche à bébés de
la mère – qui n'a aucun rapport avec la bouche ni l'anus –
une poche à bébés que les garçons n'ont pas –, est l'enfant
de ses deux parents. Encore ne faut-il jamais oublier de

signifier l'interdit de l'inceste, chaque fois qu'on explique à des enfants l'union sexuelle entre des humains.

Il y a confusion pour beaucoup d'enfants lorsque la mère nomme « papa » le père et que le père nomme « maman » la mère quand ils parlent à leurs enfants. On devrait toujours dire « ton papa », « ta maman », sinon l'enfant peut croire son père le fils aîné de sa mère et sa mère la fille aînée du père. Il y a aussi confusion pour les enfants quand leurs père et mère sont, d'après ces appellations, entendus comme frère et sœur; surtout si, en plus, ils appellent « papa » et « maman » leurs beaux-parents !

L'instruction du vocabulaire de la parenté devrait se faire à l'école maternelle et primaire, éclairant ainsi ce qui est confusément incestueux encore dans l'intelligence de l'enfant concernant les relations de filiation.

Rien à voir avec le diable
(Éducation sexuelle, questions indirectes)

Un incident dans la vie quotidienne d'une famille. C'est la mère d'un enfant de huit ans et demi qui vous écrit : « Il y a quelques jours, j'ai eu une sorte de petit cas de conscience devant un événement qui m'a profondément troublée. Mon fils est rentré un jour avec une revue toute froissée sous le bras. Il s'est précipité dans sa chambre et l'a cachée sous son lit. Je lui ai demandé sur un ton très détaché de quoi il s'agissait. Il m'a répondu : "C'est à moi. Je ne veux pas que tu regardes. Il y a des diables dessus qui font peur." Ne sachant quelle contenance avoir, je lui ai dit : "Eh bien, je suis intéressée, moi aussi, par les diables. Ce serait quand même gentil que tu me montres tout ça. — D'accord, mais après, tu me le rends. Hein ?" J'ai donc promis. C'était une revue pornographique, avec des photos suggestives. Que fallait-il faire ? Moi, j'ai replacé la revue sous le lit pour gagner du temps, tout simplement ; j'ai dit que nous allions être en retard, que son père et moi, le soir, allions regarder cette revue et, après, la jetterions, parce que, s'il l'avait trouvée dans la rue, elle devait être pleine de microbes. Entre-temps, j'avais arraché des pages, ne pouvant lui laisser voir certaines photos. Quand il est revenu, il s'est précipité sur la revue, s'est installé tranquillement, sans complexe, dans le salon, et a commencé à la feuilleter. Quand il a eu fini, sans commentaire, j'ai mis la revue à la poubelle. » Là-dessus, elle se pose des questions : « Qu'est-ce qui était le plus grave ? Fallait-il abuser de la confiance de mon fils, déchirer la revue et la jeter à la poubelle, alors qu'il m'avait mise dans la confidence et m'avait fait promettre de la lui redonner ? Ou alors ris-

quer de troubler ce petit cerveau en le laissant regarder des images traumatisantes ? » Elle termine la lettre en écrivant que son mari n'était pas tout à fait d'accord sur son procédé.

Sans préciser ce que le père a dit ?

Non.

Il y a plusieurs choses dans cet incident. Quand l'enfant est rentré avec la revue, il l'avait déjà regardée, puisqu'il a dit qu'il y avait le diable dedans. Je crois que là où elle a manqué le coche, c'est en ne lui répondant pas : « Mais non, ce ne sont pas du tout des diables. Ce sont des choses qu'on appelle pornos. Tu as entendu parler des choses pornos ? Eh bien, tu en parleras à ton père ce soir, parce que, sûrement, tu t'intéresses beaucoup aux choses du corps et du sexe. Ton père t'expliquera tout cela. Moi, je trouve que cette revue n'est pas belle. Elle peut être excitante pour toi, mais pas belle. Ce sont des choses dont il faut que tu parles à ton père, parce que c'est de la sexualité. » Il faut donner les mots vrais. Elle-même n'a pas pu donner la réponse, n'est-ce pas ? La question reste ouverte, puisque cet enfant a rapporté cette revue, en sachant que sa mère savait de quoi il était question et en sachant, puisqu'elle le lui avait dit, qu'on en parlerait avec le père. Il semble qu'elle ait jeté cette revue sans que le père ait pu en parler à son fils, parler du contenu visuel de la revue. Ce qui aurait été excellent entre le père et le fils pour aborder la question de la sexualité, des films, de tout ce qu'on appelle « porno ». Car tous les enfants circulent et voient les affiches de cinéma avec « Interdit aux moins de dix-huit ans » ; et ça les intéresse, bien sûr ! Pourquoi est-ce interdit aux moins de dix-huit ans ? C'est aux parents de le leur expliquer. Cet enfant a posé une question indirecte. Il l'a posée deux fois : à sa mère d'abord ; ensuite, il attendait de son père qu'il entre dans le vif du sujet avec lui. Et c'est passé à l'as. Dommage !

Quand on parle de la sexualité des enfants, on parle sou-vent des questions directes des enfants beaucoup plus jeunes.

Oui. Mais les questions indirectes commencent vers trois ans, on l'a vu tout à l'heure. Je dis qu'un enfant qui s'ex-hibe, par exemple, vers trois ans, pose une question indi-recte : « Qu'est-ce que c'est que ce lieu qui n'est pas uni-quement fonctionnel pour le pipi ? »

A votre avis, c'est aux parents d'en parler ?

Mais naturellement ! Parler, expliquer de quoi il est ques-tion dans cette région qui n'est pas que pour les excréments, mais aussi pour des sensations particulières de désir, de plai-sir. Et, entre autres, parler immédiatement de ce plaisir : de la masturbation éventuelle. Quand les enfants s'exhibent, ils posent une question muette sur le sexe et sur la masturba-tion, et manifestent une inquiétude sur les punitions qui pourraient venir, du fait qu'ils ont toujours plus ou moins entendu quelqu'un leur dire, sinon d'un air sévère, du moins pour rigoler : « On va te la couper. » Et pourquoi pas, si c'est pour de rire ? Mais, pour de vrai, jamais ! C'est aux parents de donner aux enfants cette sécurité (en même temps qu'ils les incitent à la pudeur), de leur donner à la fois la connais-sance de la sexualité et l'assurance qu'ils peuvent en parler avec la personne qui, dans la famille, est chargée de les édu-quer au savoir-vivre en société comme d'éduquer leurs sens esthétique et moral. C'est aux parents encore de leur dire la loi de l'interdit de l'inceste, à laquelle eux-mêmes sont sou-mis aussi bien, et puis de leur inculquer le sens de l'auto-défense en face d'adultes qui voudraient les piéger. Les parents : la mère pour les filles, le père pour les garçons.

Alors, c'est le père qui aurait dû parler à ce garçon de sa revue pornographique ?

Oui. La mère, je le répète, aurait dû envoyer le garçon à son père. En réprimant elle-même ce qui était une occasion d'explication suscitée par le garçon, elle a été maladroite. En plus, cela n'a rien à voir avec le diable, hein ! Des hommes nus avec des femmes nues, ce n'est pas l'enfer ! Mais cela troublait l'enfant. C'est cela qu'il fallait lui dire de chercher à comprendre avec son père.

Donc, au père de réparer, en s'adressant directement à son garçon.

Oui, et parce que celui-ci a huit ans, il est même grand temps. Mais quand les enfants sont petits, à mon avis, cela devrait être fait à la cantonade, et par l'un ou l'autre parent présent. Au moment où la question survient – par exemple, quand l'enfant arrive tout nu devant tout le monde –, on peut lui dire : « Si tu veux venir avec les invités, habille-toi. » Ou, s'il pose une question précise : « Je t'expliquerai tout à l'heure. Là, maintenant, je suis occupée Apporte-nous donc les verres. » C'est toujours au moment où la mère est occupée que l'enfant vient lui dire : « Maman, je veux savoir comment naissent les enfants ! » Qu'elle réponde le plus simplement du monde : « Écoute, tout le monde le sait ici, alors je te l'expliquerai, ou ton père te l'expliquera tout à l'heure. » Mais qu'on n'en fasse ni un drame ni une occasion de blâme, par exemple en chuchotant le « je t'expliquerai tout à l'heure » comme si c'était très mal. Au contraire. A ce moment-là, l'enfant a envie d'entrer dans la société et d'être intégré. Évidemment, cela demande de la présence d'esprit. J'espère que ce livre peut aider les parents à avoir un vocabulaire et de la présence d'esprit.

En tout cas, pour en revenir à ce garçon, la question, pour lui, se représentera ; à l'occasion d'un film, ou d'une grande affiche de film, il faut que le père prenne en main son enfant, puisqu'il n'est pas content de la manière dont la mère a réagi. Et c'est dommage, en effet, que le père ait été en quelque sorte, si je puis dire, « feinté », dans cette histoire-là.

Vous dites qu'il ne faut pas hésiter à répondre aux ques-
tions, directes ou indirectes, des enfants concernant la
sexualité. Mais, dans beaucoup de familles, on hésite à par-
ler de ces problèmes-là pour des raisons religieuses ou
morales ; ou simplement parce qu'on a été élevé comme
cela.

Pour des raisons d'éducation, soi-disant : mais c'est tout
le contraire de l'éducation. En tout cas, de nos jours où les
enfants sont soumis à tant d'informations et d'incitations,
ils sont en danger, surtout dans les grandes villes, s'ils ne
sont pas informés à temps par leurs parents.

Beaucoup d'adultes ont des difficultés à mettre des mots
sur ces choses. Par exemple, j'ai une lettre d'une Française
qui vit en Espagne. Elle écrit : « J'ai deux enfants de sept et
neuf ans. Ils se confient à moi plutôt qu'à leur père. J'essaie
de répondre à toutes leurs questions, car je n'aime pas leur
mentir, mais, en ce qui concerne les problèmes sexuels, je
ne sais pas leur parler. Ils savent comment les enfants vien-
nent au monde, comment ils sortent du ventre de leur mère,
mais ils ignorent la cause de la naissance des enfants. Et je
ne sais pas comment le leur expliquer. »

Quand une mère ne peut pas répondre, elle peut dire : « Tu
sais, je suis très embarrassée pour te répondre – là, dans ce
cas précis, parce que ce sont des garçons –, parce que je suis
une femme, j'ai été une petite fille et je ne sais pas répondre
aux questions de garçons. Mais demande à ton père, deman-
dez à votre père. » Je crois que, à deux, les enfants poseront
plus facilement leurs questions au père que s'ils sont seuls.
La mère peut en parler à son mari d'abord, pour le préparer
à répondre. Pour ces deux enfants, je crois qu'il serait bien
que le père, un jour, tout simplement à table, dans une
réunion où toute la famille est ensemble, les mette au courant de ce que c'est l'homme, l'initiateur de la naissance,
que sans homme une femme ne peut pas devenir mère, en
leur expliquant où, dans le corps humain – et dans le corps

de tous les mammifères d'ailleurs, puisque l'être humain est un mammifère –, se trouvent les graines de vie masculines et féminines ; en ajoutant que, chez les êtres humains, êtres parlants, ce n'est pas comme chez les animaux, puisqu'il s'agit non d'instinct mais d'amour et de responsabilité assumée dans le désir sexuel ; et en leur parlant de la fécondité chez l'homme comme chez la femme, l'un vis-à-vis de l'autre et tous les deux vis-à-vis de l'enfant.

Si la mère ne peut pas expliquer cela, elle peut toujours dire : « Tu as raison de poser cette question. Tu vois, moi, je ne peux pas te répondre parce que je ne sais pas comment te l'expliquer. Cela me paraît trop difficile. Mais il y a certainement des gens qui le peuvent. » Quand des parents se sentent vraiment incapables de parler de ces problèmes, ils peuvent toujours trouver quelqu'un : par exemple, une amie qui a su le faire avec ses enfants et qui pourrait, devant leur mère, c'est mieux, répondre à des petites filles ; ou un père qui a répondu dans une famille amie à ses garçons, et qui accepterait d'instruire les garçons en présence de leur père. Ce qui présente un inconvénient, c'est que l'éducation soit donnée en secret et par des gens qui ont fait vocation de célibat, comme les religieuses et les prêtres. Je connais des cas de jeunes gens et d'adultes qui ont été choqués de ce que leur mère, parfois même leur père, aient demandé à des prêtres éducateurs de les informer à leur place. Je crois, encore une fois, que c'est aux parents, à la mère pour les filles, au père pour les garçons, de faire cela, au besoin aidés par d'autres.

D'ailleurs, s'ils ne savent pas le faire, il y a maintenant dans les écoles des conseils de parents où l'on peut certainement parler de ces questions. Et puis, beaucoup de livres très bien faits ont été écrits sur la question, maintenant. Peut-être cette femme pourrait-elle demander dans une librairie qu'on lui donne des titres de livres, et les feuilleter. Voire mettre un de ces livres dans la chambre des enfants : « Tiens, voilà un livre qui explique très bien. »

Il est dangereux, en tout cas, que les enfants ne reçoivent pas de réponses correctes, simples mais véridiques, aux questions sur le sexe, sur la conception et la naissance, parce qu'ils en reçoivent de tellement farfelues par ailleurs... Il y a tellement de mythes qui courent chez les enfants ! Je ne dis pas qu'ils ne continueront pas de courir et les enfants d'y croire un peu, c'est de leur âge, mais une voix, ou un livre qui dit la vérité, c'est déjà bien.

J'ai l'impression, d'ailleurs, que les enfants posent de plus en plus librement ces questions...

Bien sûr ! A cause des films, de la radio, et parce qu'ils parlent entre eux et que certains d'entre eux sont élevés intelligemment sans qu'on leur inculque aucune culpabilité concernant leur curiosité sur la vie et la sexualité. En tout cas, pour que les choses soient bien claires, à toute question directe ou indirecte, il est bon qu'il soit répondu de la façon la plus naturelle et la plus simple. « Je ne sais pas » ou « Je ne peux pas te répondre, parce que ça me gêne de répondre sur les questions sexuelles » est déjà mieux que rien. Si c'est vrai, il faut le dire ; et non pas : « C'est sale », ou encore : « C'est pas de ton âge. Ne parle pas de ça. Je te l'interdis. »

C'est la fête ?
(Nudité)

Un couple d'éducateurs a deux garçons, de quatre ans et quinze mois. Ils ne sont pas d'accord avec ce que vous avez dit sur le problème de la nudité. Et ils témoignent. Ils écrivent : « On [sic] se montre nus à nos enfants. D'ailleurs, ceux-ci jouent avec leur corps, avec le nôtre. » Ils appuient sur les seins de leur mère en faisant « tut-tut », etc., et avec leur père… et entre eux… Enfin, je passe les détails (très vraisemblables d'ailleurs dans cette famille où « on » veut que rien ne soit caché aux enfants).

C'est la fête, alors.

Oui. Mais ils se posent quand même quelques questions. Leur fils aîné reste parfois passif et comme frappé d'idiotie devant toute activité nouvelle. Comment peuvent-ils l'aider ? D'abord, y a-t-il un rapport entre tout ça ?

Je pense que oui. Les parents ne savent pas que, lorsqu'un enfant voit le corps de l'adulte, il se complaît dans cette vision, il se mire en elle, a l'illusion d'être semblable. Lorsqu'il joue avec le corps de l'adulte, c'est pour son plaisir, et si ce plaisir, sexuel pour l'enfant, plaît aussi à l'adulte, il ne sait plus qui est l'adulte ou qui est l'enfant. C'est ça qui est important dans la nudité et dans ces plaisirs voyeurs et tactiles partagés. Ce n'est pas que ce soit choquant : c'est que cela peut « déréaliser » l'enfant par rapport à son corps propre. De plus, ces jeux jouissifs pour l'enfant sont dangereux pour lui, surexcitent précocement sa génitalité.

Vous avez dit déjà qu'un enfant se sentait un peu minable devant le corps d'un adulte.

Mais oui ! Pour déplacer un peu le problème, c'est comme lorsqu'un enfant a un ours plus grand que lui – on en voit, hélas, dans les vitrines, de ces horreurs, d'énormes pingouins, d'énormes nounours, etc. : il y a des enfants, et c'est assez fréquent, qui sont « déréalisés » par rapport à eux-mêmes, parce qu'ils se croient l'ours. L'imaginaire de l'enfant déborde parfois sur la réalité, et quand nous lui proposons quelque chose qui correspond à son désir d'être une grande bête ou une grande poupée, s'il touche trop, dans la réalité, avec des sentiments d'amour-plaisir, cette bête-joujou ou cette créature qu'il anthropomorphise (à laquelle il prête vie, sensations, sentiments humains), il devient étranger à la perception de son corps propre.

Cet enfant-là, qui paraît parfois frappé d'idiotie, aimerait avoir le sexe de son père, dès maintenant. Et, comme il peut y toucher, il peut croire qu'en touchant le sexe de son père, il touche le sien. En touchant les seins de la mère, il touche aussi ses propres seins imaginaires. Il dit « tut-tut » comme s'il touchait des jouets qui lui font penser à des avertisseurs d'auto. C'est tout de même curieux. Cet enfant « déréalise » le corps des parents.

La nudité des parents n'a plus aucune importance à partir de la puberté. Pourtant, c'est souvent à ce moment-là que les parents ne permettent pas à l'enfant de les voir nus. Mais c'est lorsqu'il est petit, au contraire, que c'est dangereux, à cause de cet autre imaginaire qui prend la place de soi. C'est pour cela que cet enfant est de temps en temps sidéré, immobile, comme absent : il ne sait plus qui il est, s'il est le grand ou s'il est le petit, s'il est lui ou les autres. Il y a, dans les sensations visuelles et tactiles de son corps, une ou des parties de ce corps qui ne sont plus les siennes. C'est justement parce qu'il est intelligent qu'il a ces apparences d'idiot et qu'il a à faire face à un véritable problème d'identité. En ce sens-là, je dis aux parents : « Attention ! »

Je ne sais pas s'ils vont revenir sur leur conviction, mais la question que je vous pose c'est : peut-on faire machine arrière ? Avec ces enfants de quatre ans et quinze mois qui, depuis leur naissance, voient leurs parents nus, les parents peuvent-ils changer du tout au tout ?

Ce serait très simple si ça n'amusait pas les parents ! Mais j'ai l'impression que cela les amuse que leurs enfants jouent à les tripoter. Voilà ce qui est ennuyeux. Les parents ont, semble-t-il, au point de vue jeux érotiques, des jeux d'enfants de deux ans, en étant des géants. C'est amusant, si on veut, mais c'est très inquiétant pour les enfants.

Cela dit, cette attitude peut aussi s'expliquer par des théories, un retour à la nature, etc.

Pourquoi pas ? Mais puisqu'ils voient que cela pose un problème, je leur explique quels problèmes cela pose.

Peut-on changer ?

Naturellement. On peut dire : « Écoute ! Maintenant tu es trop grand. Tripote-toi. Joue avec des camarades de ton âge, tu te crois encore un bébé. Quand tu seras grand, tu seras un homme ; tu n'auras pas les nichons de ta mère. Il faudra que tu te choisisses une petite femme parmi celles qui sont en ce moment, comme toi, des enfants. » Oui, on peut parler de cela aussi. Et il le faut, car cet enfant, par moments, est atteint d'une sorte de contamination corporelle avec son père. Il ne sait plus qui ni quoi il est.

Pour rester sur ce thème de la nudité, voici la lettre d'un père. « J'ai une fille de six ans qui semble très portée vers les garçons. A l'école, sa maîtresse l'a également remarqué. Cette curiosité me surprend parce que nous l'avons élevée de façon très libre, ma femme et moi, dès son plus jeune âge, et que la salle de bains a toujours été ouverte,

par exemple, au moment de la toilette. » Il est d'autant plus
étonné que le frère de cette petite fille, qui a onze ans et a
été élevé de la même façon, est, au contraire, très pudique.

Il n'y a rien d'étonnant à ce que la petite fille soit portée
vers les garçons et à ce que son frère soit pudique : c'est
justement la conséquence de cette éducation qu'ils pensent
libérale. Mais je ne vois rien de mal à ce que cette enfant
soit portée vers les garçons. Je pense même que c'est une
sécurité pour elle, parce que avec la vue constante du corps
nu de ses parents, et avec la dérobade saine de son frère de
onze ans à être vu par les autres membres de la famille, il
faut bien qu'elle se cherche des copains du sexe complé-
mentaire ; sinon, elle serait prise dans le feu – et je dis bien
le feu – du désir pour son père ; et la seule garantie pour elle
de ne pas être incestueuse, c'est de se trouver des fiancés. Il
faut qu'il s'y fasse, ce père. Il a élevé sa fille ouvertement.
Sans le savoir, il a suscité en elle une inflation sensuelle qui
se trouve barrée à présent, à l'égard du père et du frère, par
l'interdit de l'inceste. La mère, de son côté, trop permissive, a provoqué, par des privautés infantiles, une rivalité
féminine. Alors, l'enfant veut tous les garçons pour elle
seule et ne s'active qu'à ce jeu plaisant. C'est tout à fait
normal.

Pour répondre à tous ceux qui écrivent en disant « Moi,
je suis pour », « Moi, je suis contre » : si vous élevez vos
filles comme ce monsieur, elles auront beaucoup de fiancés
et aimeront plus le plaisir que le travail – du moins dans
leur prime enfance, prolongée plus tard que l'âge habituel
de raison.

C'est la conséquence. Quant au garçon, il sera prude en
famille et timide en société, souffrant de sentiments d'infé-
riorité vis-à-vis de tous les garçons, incapable d'assumer
ses désirs parce que, pour lui, la vue de sa mère est trop
excitante et la rivalité sexuelle avec le père terrifiante en
fantasme. Il doit se protéger contre son désir pour sa mère

seule, de son désir de l'avoir pour lui seul. Le désir du garçon est un désir actif, c'est-à-dire qu'il s'exprime de manière à aller vers celle qu'il désire. Mais il ne peut pas aller vers sa mère ni vers sa sœur, l'interdit de l'inceste est profondément ancré dans le cœur des humains. Et la petite fille, elle, comme son rôle sexuel est d'être au guet actif de qui voudrait bien venir vers elle, elle se fait provocante, aguicheuse avec tous les garçons, parce qu'elle sent bien que provoquer son père serait dangereux pour elle, et parce que le frère, fort heureusement pour elle, ne se laisse pas provoquer.

Elle fait tout cela instinctivement...

Instinctivement, parce qu'elle est saine.

Et je dis ça parce que vous dites souvent que ce qu'on oublie, en général, quand on parle d'éducation sexuelle, c'est de parler de l'interdit de l'inceste.

La seule éducation sexuelle vraie, c'est l'interdit de l'inceste. Et forcément, quand il y a à la fois interdit de l'inceste et liberté de connaître tout – ce qui est très bien –, les enfants vont vers ceux de l'autre sexe et se défendent de l'intérêt sexuel pour les parents, et les frères et sœurs. Je crois que, pour l'éducation de cette fillette, la seule chose que le père pourrait lui dire, en dehors de l'interdit de l'inceste, c'est : « Choisis-toi des fiancés de ton âge. » Parce que le seul danger qu'il pourrait y avoir, c'est qu'elle cherche des jeunes gens ou des hommes adultes et que, de ce fait, elle soit détournée d'un développement sexuel sain. Si elle a confiance en son père et si celui-ci lui parle avec chasteté, sérieusement, elle lui obéira et ne cherchera pas, pour se choisir des « fiancés » de jeux sensuels et des élus de cœur, des jeunes gens trop au-delà de son âge.

Ce n'est pas un mensonge,
c'est du pour-rire
(Fantasmes sexuels des enfants et réalités des adultes)

Vous allez sans doute dérouter quelques lecteurs avec une lettre qui pose encore un problème assez précis, un cas assez particulier, mais qui, je crois, au niveau général, est intéressante, parce qu'on parle souvent du chantage que les enfants peuvent exercer sur leur entourage, ou des fantasmes qu'ils vivent et qu'ils essaient de rendre comme une sorte de vérité.

Oui. Des enfants qui font battre les montagnes, comme on dit.

Voilà! Alors, les montagnes battent quelque part! C'est une mère qui vous écrit. Elle a deux filles de sept et cinq ans et demi, qui vont assez souvent chez une gardienne mariée. Les enfants, en général, dînent avec leur père le soir quand elles rentrent de chez la gardienne : la mère, elle, poursuit des études et a des cours le soir. Elle écrit : « Récemment, à la fin d'un repas, les filles ont prévenu leur père qu'elles avaient quelque chose de très important à lui dire. Mais elles ne voulaient pas vraiment le dire : "Si on te le dit, tu vas te moquer de nous." Leur père les a assurées qu'il ne se moquerait pas d'elles, et elles se sont décidées. La plus âgée a commencé : "Eh bien, voilà. Le mari de la gardienne m'a mis sa quéquette dans la bouche." Elle est devenue pratiquement muette, n'a pas voulu donner d'autres précisions. A ce moment-là, la plus jeune a dit : "Mais, tu sais, moi, je l'ai giflé au visage." Et la plus grande a repris : "Oui, mais

tu sais, elle ne l'a pas vraiment fait exprès, de le gifler." »
C'est là une situation, effectivement, sur laquelle on peut se
poser beaucoup de questions dans une famille. Et la mère
écrit : « *Le lendemain matin, quand j'ai voulu leur en parler
– parce que mon mari m'avait rapporté cela –, curieusement, elles étaient très réticentes et n'ont pas voulu m'en
reparler. Elles m'ont dit : "Non, non, on a oublié ce qui s'est
passé. Il ne faut surtout pas en parler avec la gardienne." »*

Oui. Et cet homme est aussi le père d'une petite camarade
à elles ?

*Oui. Parce que ça se passe dans un petit village. Ce sont
des gens qui se connaissent…*

Cela me fait penser au film de Jacques Brel.

Les Risques du métier.

C'est ça. Les enfants imaginent des scènes sexuelles qu'ils
racontent à leur manière. Ici, ce n'était destiné qu'au père ;
avec, ce qui est assez curieux comme mot : « Tu vas te
moquer de nous » ; ensuite, à la mère : « Non, non, j'ai
oublié » ; et puis, « giflé pas exprès »… J'ai l'impression que
nous sommes là au bord d'un fantasme. C'est au soir, au
moment du dîner. Il y a des choses salaces que se disent les
enfants, comme ça, entre eux, pour fabuler, des choses pour
se rendre intéressants, surtout auprès de papa. Je crois que
cette femme a tout à fait raison de ne pas insister sur cette
histoire pour que, si quelque chose de sérieux se passait un
jour, les enfants puissent en parler. C'est cela qui est important : ne pas se moquer ni gronder, mais dire : « Eh bien, oui.
Si elle l'a giflé, j'espère qu'elle l'a fait exprès, parce qu'un
monsieur, ça ne doit pas faire cela avec les filles. »

*Je vous interromps parce que la mère pose des questions
précises : « Faut-il ou non en reparler ? » Votre réponse
est : « Non, ne pas insister. »*

C'est ça.

Elle vous demande aussi : « Comment faire une mise en garde générale contre ce genre de choses ? » Parce qu'il y a les fantasmes, et puis il y a la réalité.

Elle pourrait, par exemple, devant le père, dire : « Un jour, vous aviez raconté ça à votre père. (Vrai ou pas vrai, il ne faut pas chercher à leur faire dire que ce n'est pas vrai.) Mais, quand on est petit, on invente des tas de choses. Si, une autre fois, quelque chose comme ce que vous avez raconté se passait, si c'est pour de vrai, il ne faut pas que ça recommence. Le monsieur le sait très bien. Alors, vous lui dites : "Il ne faut pas le faire." Un monsieur ne joue pas aux choses du sexe avec les enfants. » C'est comme ça qu'on prévient les enfants.

Mais le « pas vrai », on ne peut pas l'empêcher ; on ne peut pas empêcher les enfants de raconter des histoires inventées.

La mère se demande aussi s'il s'agit vraiment d'une invention. Elle écrit : « Est-ce qu'on peut, comme ça, aller voir ce monsieur et lui dire : "Explique-nous un peu." »

D'après le contenu de la lettre, c'est difficile, puisqu'il paraît que c'est un petit village. Ce sont des gens très proches, qui se voient souvent, qui travaillent ensemble et ont des activités en commun. Je ne sais pas comment elle peut faire. Elle sentira ; elle trouvera peut-être le moyen, elle-même, d'en parler un jour à ce monsieur ; ou le père en parlera en tête à tête, avec l'homme. Mais il y a le risque, ensuite, que les enfants soient mal vus, si c'est un fantasme, et que cet homme soit, à partir de ce moment-là, agressif avec des enfants qui ont voulu lui faire risquer quelque chose, vraiment…

Je rappelle, pour ceux qui n'auraient pas vu le film de Brel, qu'une petite fille accusait un instituteur de choses très semblables, et que cela menait ce dernier en prison.

C'est malheureusement banal. Je crois que le père a très bien réagi en ne se moquant pas et en posant quelques questions – auxquelles elles n'ont pas répondu, puisque, quand il a demandé : « Est-ce que la gardienne était présente ? », elles ne savaient même pas répondre. Je crois que c'était un fantasme.

Justement, une question sur ces fameux fantasmes. C'est un mot qui est à la mode. Que sont-ils ? Des inventions d'enfants ?

Ce sont des fabulations qui correspondent à ces imaginations sexuelles que les enfants ont très souvent, à une étape de leur développement, étape au cours de laquelle ils ont envie de la séduction d'un adulte. Ces désirs entraînent des images qui sont de l'ordre de ce qu'ont raconté les petites filles.

Est-ce une étape absolument obligatoire du développement d'un enfant ? Parce que, souvent, les parents, quand ils surprennent un enfant en plein fantasme, disent : « Ce sont des mensonges. Il faut dire la vérité. » Ils assimilent souvent cela à un mensonge.

Ce n'est pas un mensonge, c'est du « pour de rire », pour le plaisir d'y croire, de rêver éveillé sans risque… du roman, quoi ! Et il y a le « pour de vrai », comme disent les enfants. La plupart des fantasmes des enfants ne sont pas faits pour les parents. Là, les fillettes ont peut-être été piégées simplement pour parler à leur père. Elles étaient, ce soir-là, des petites femmes à papa, puisque maman n'était pas là ; elles se sont dit : « On va raconter à papa quelque chose de très intéressant, des fois qu'il aurait envie de faire comme ça avec nous. Ce serait formidable. » Pourquoi ? Mais parce que le sexe dans la bouche, pour les enfants, ça a des résonances, des articulations imaginaires inconscientes, avec la tétée. Ce sont des choses assez proches, pour l'enfant, qui confond les seins et le pénis de l'homme.

Ils sont d'ailleurs très souvent confondus, non seulement dans l'imagination des enfants, mais dans les rêves d'adultes. L'inconscient ne fait pas tant de différence. Pour ces enfants, il semble que cela n'ait même pas été érotique, à en juger par la façon dont elles l'ont raconté au père. Alors je crois qu'il est bien de ne pas faire un drame. C'est une histoire comme ça, oubliée aussitôt que dite. Une histoire enfantine de sexualité-fiction.

On a parlé de fantasmes, mais il y a aussi la réalité. Beaucoup de parents sont inquiets. Il y a les enfants qui suivent assez facilement n'importe qui. Mais il y a plus précis. Une question revient tout le temps : « Comment prévenir les fillettes contre les attaques éventuelles de pervers, de sadiques, de rôdeurs ? » Beaucoup de familles vivent dans des périphéries, dans des lieux, disons, peu sûrs, et voudraient prévenir leurs enfants contre ça. Que faut-il faire ? Faut-il être précis ? Comment agir ?

Il y a beaucoup d'hommes inoccupés qui souffrent du manque de relations. Et c'est beaucoup plus facile d'aborder un enfant. Il y a des gens de très bonne qualité qui parlent à des enfants. C'est pour cela qu'une mise en garde est très difficile. Ce que l'on peut dire aux enfants, c'est que les gens qu'on ne connaît pas, on ne peut pas faire amitié avec eux. Et ce qu'on a toujours dit : « N'accepte pas des bonbons de n'importe qui. » Mais la meilleure des choses est plutôt de recommander à une petite fille d'être toujours avec une amie ; à un petit garçon – parce que les petits garçons risquent autant que les petites filles – d'être toujours à deux ou à trois et de s'accompagner ; qu'ils ne circulent pas tout seuls dans la rue. Et que, si quelqu'un leur parle, ils ne soient pas mal polis avec ce quelqu'un, mais disent : « Je suis occupé. Je rentre. Je suis attendu à la maison. »

C'est ça l'important : un enfant qui ne sent pas qu'on l'attend à la maison, a tendance à parler avec quelqu'un qu'il rencontre et qui est gentil. Les parents doivent s'arranger pour qu'il y ait toujours quelqu'un, là où l'enfant va. C'est terrible, pour les enfants ; de rentrer tout seuls chez eux et d'attendre une ou deux heures que leurs parents rentrent. C'est là qu'il est bon de se faire une amie dans l'immeuble, peut-être la concierge, d'avoir des relations agréables avec les gens et de pouvoir leur demander que l'enfant aille chez eux. C'est ainsi qu'on peut éviter les accidents. Ce n'est pas tellement en prévenant l'enfant, car un jour où il s'ennuie et sait qu'il va rentrer et s'ennuyer, il parlera à quelqu'un : cela se fait progressivement.

En plus, il faut prévenir les enfants de l'existence d'exhibitionnistes de passage en leur disant : « Quand c'est comme ça, tu n'as qu'à te sauver, ils savent qu'ils font quelque chose de défendu, mais ce ne sont pas des gens dangereux. » C'est vrai que les exhibitionnistes, contrairement à ce que les parents croient, ne sont pas dangereux. Il faut prévenir les enfants que ce sont des malheureux. L'enfant n'a qu'à ne pas les regarder, à s'en aller et puis c'est tout.

Ce qui est beaucoup plus dangereux, ce sont les pervers, qui sont bien organisés, qui disent « Bonjour, je connais ton papa, ta maman, etc. », qui reviennent huit jours, quinze jours de suite. Et, au bout de trois semaines – c'est le temps qu'il faut pour qu'un enfant soit en confiance –, on lui dit : « Tu rentres à la maison ? Tu es tout seul ? Eh bien, viens. Il fait froid. Je vais t'offrir un chocolat au café. » Et on se met à parler. Cela se passe comme ça. C'est quelque chose qui se prépare, et c'est là-dessus que les parents doivent veiller avant que ça n'arrive. Quand des parents ont la confiance de leur enfant, savent parler avec lui, l'écouter, le faire préciser ce qu'il exprime, ils peuvent très bien tout lui expliquer concernant ce genre de rencontres et lui dire comment s'en défendre – et cela sans dramatiser.

L'interdit et le mépris
(Inceste, homosexualité, masturbation)

Je vous propose de parler du problème de l'inceste. Je crois que c'est souvent dans les familles nombreuses que ce problème se pose.

Pas spécialement dans les familles nombreuses, mais plutôt dans les familles où il y a deux enfants, un garçon et une fille. Jusqu'à l'âge de cinq, six ans au plus, les enfants ont des jeux sexuels (frères entre eux, sœurs entre elles, frères et sœurs petits) qui sont tout à fait « normaux » et sains : ce sont des parties de rire. Dès qu'ils en sont témoins, il faut que les parents se gardent bien de gronder ou de punir mais abordent avec leurs enfants les questions sexuelles en employant les mots exacts : qu'ils disent que le sexe des filles est différent du sexe des garçons, qu'ils parlent clairement aux garçons et aux filles ensemble, et pas en secret, mais du ton le plus courant, de leur différence et pas en terme de « pipi » ou « zizi ». Qu'un enfant parle de « zizi » et de « quéquette », bon ! Mais, quand c'est en érection, c'est bien « verge » ou « pénis », le vrai mot Et, pour la fille, les vrais mots à employer sont « vulve », « vagin ». Il faut dire aux garçons qu'ils deviendront musclés, que leur voix muera, qu'ils auront barbe et moustaches comme leur père et qu'ils plairont aux filles. Dire aux filles qu'elles auront des poils au pubis et aux aisselles, que leurs seins se développeront, que toute une transformation se fera dans leur corps, et que vers douze, treize, quatorze ans, elles auront des règles. Tout cela les rendra très fières. Elles plairont aux garçons, c'est naturel. Si ces choses ne sont pas dites aux enfants à partir de six, sept ans, les jeux sexuels risquent de se prolonger et de devenir incestueux. Et, comme je l'ai déjà dit, en même temps qu'on doit parler des questions sexuelles, il faut nommer l'interdit de l'inceste entre frère et sœur, entre père et fille, entre fils et mère. Je suis frappée du nombre de jeunes enfants frères et sœurs qui ont entre eux, de nos jours, des relations sexuelles vraies, qui pratiquent entre eux, pas seulement la masturbation, mais le coït. Relations qui ont été, pour ainsi dire, « bénies » aveuglément par des parents. On dit, par exemple, à un grand frère : « Il faut absolument que tu prennes ta petite sœur dans ton lit, parce que, ce soir, nous allons au cinéma. Elle risquerait d'avoir peur si nous ne sommes pas là. » On croirait que les parents, pour se déculpabiliser, veulent que le frère et la sœur se consolent mutuellement de leur absence. Cela mène souvent à des situations dangereuses ou perverses qui entravent, plus ou moins mais toujours le développement symbolique des enfants, c'est-à-dire leurs acquisitions scolaires, leurs relations à la loi et leur adaptation à la société. On parle beaucoup de la nécessité de l'éducation sexuelle, même à l'école, mais jamais on ne l'accompagne de la notion d'interdit de l'inceste qui en est, en fait, l'essentiel. Même si l'enfant n'est pas en âge de comprendre, il faut lui dire cet interdit : « On ne peut pas se marier entre frère et sœur. Je ne peux pas t'expliquer pourquoi, mais c'est comme ça. »

Nous avons ici la lettre d'une mère éplorée, qui s'aperçoit que ses enfants (la fille de quatorze ans et le garçon de quinze ans) ont des relations sexuelles ; cette lettre est navrante. Nous savons que les sentiments incestueux peuvent exister. Mais de là à de véritables rapports sexuels, il y a une marge. La mère ne peut pas, elle, ne rien faire devant cela.

Elle écrit qu'elle fait celle qui ne voit rien.

Je ne comprends pas pourquoi. Elle ne dit pas, d'autre part, s'il y a un père dans la famille. Mais ces enfants, qui sont des « enfants terribles » sans le savoir, sont vraiment mal partis. Ils auront certainement des difficultés dans l'ave-

nir : il est trop tard maintenant. Mais il ne faut pas faire semblant de ne rien voir et, au contraire, leur parler très clairement : « Je ne vous ai peut-être pas dit à temps qu'il était
dangereux pour vous deux d'avoir des relations sexuelles.
Vous n'êtes plus des enfants. Ne jouez plus à cela. » Mais
c'est déjà aux enfants beaucoup plus jeunes que le père et la
mère devraient parler ouvertement de l'interdit de l'inceste,
dans la conversation générale, à table par exemple, et laisser
chacun exprimer ses idées sur la question.

Il faut, encore une fois, ne pas avoir peur des mots.

L'interdit de l'inceste est, je le répète, l'essentiel de l'éducation sexuelle. Bien sûr, il est important que l'enfant
connaisse la complémentarité des sexes pour la procréa-
tion ; mais si on ne lui apprend pas en même temps cette loi
fondamentale de la génération dans toute l'humanité, des
êtres les plus « primitifs » aux plus civilisés, qu'est l'interdit de l'inceste, l'information et l'éducation sexuelles n'ont
plus aucun sens.

*Voici des jumeaux, un garçon et une fille de quatre ans.
Ils sont très équilibrés et même un peu en avance pour leur
âge. Les parents les séparent très souvent, pour les prome-
nades par exemple, le père emmenant le garçon, la mère, la
fille, ou le contraire. Le seul problème concerne le garçon.
Il dit : « Quand je serai grand, je veux me marier avec ma
sœur. » Et lorsque les parents lui expliquent que ce n'est
pas possible, cela semble lui faire beaucoup de peine. Cette
espèce de détournement du complexe d'Œdipe peut-il être
dangereux pour l'avenir ?*

Non ! Le problème des jumeaux n'est pas le même que
celui des enfants qui sont seuls. Que cet enfant dise à quatre
ans : « Je me marierai avec ma sœur », le coup est vache,
certes, mais régulier. Et il est vache mais régulier aussi que
les parents répliquent : « Tu peux le dire pour de rire. Mais

pour de vrai, ce n'est pas possible. » Et puis la mère ne parle même pas de ce qu'en pense la sœur. Parce qu'elle a peut-être jeté son dévolu sur papa, elle, et pas du tout sur son frère. Et peut-être qu'au fond d'elle-même quand il dit ça, elle pense : « Oui, oui, tu peux toujours parler. Moi, c'est avec papa que je me marierai. » Ils ont quatre ans. C'est l'âge où l'enfant fabule son mariage avec qui lui plaît ; et qui lui plaît, d'abord ce sont les parents et les familiers. Il s'agit de fantasmes construits sur la tendresse et l'idée précoce de couple préférentiel. Le mot « aimer » a tellement de sens !

Cela semble quand même faire de la peine au garçon pour de vrai.

Bien sûr, comme à tout enfant de quatre ans auquel on dit : « Tu ne pourras pas te marier avec ta sœur (qu'elle soit jumelle ou non) ou avec ta mère, ou avec ta tante. » Parce que c'est la même chose.

Donc, il faut répondre. Expliquer par exemple : « Mais oui, tu dis ça parce que tu es petit. Mais tu verras, quand tu seras grand, il y aura beaucoup d'autres filles qui te plairont. Et ce sera bien plus drôle de te marier avec une autre fille et que ta sœur se marie avec un autre garçon car, comme ça, vous aurez beaucoup plus d'enfants à aimer. Ses enfants, les tiens… Elle, elle en aura avec un autre homme, toi, tu en auras avec une autre femme. Tous vos enfants seront cousins et ce sera amusant, formidable, une grande famille. » Je crois qu'il faut lancer, comme ça, des fantasmes d'avenir pour les enfants ; car il est vrai que si le frère se mariait avec la sœur, il y aurait peu de société. C'est une vérité qu'on peut dire : les mariages entre personnes d'une même famille n'impliquent pas beaucoup de relations sociales.

Cela dit, je ne comprends pas très bien la référence au complexe d'Œdipe. Est-ce que cette fixation du garçon peut être dangereuse pour lui ?

Mais non ! A quatre ans, il s'agit encore de vagues fantasmes. Les jumeaux ont à faire un complexe d'Œdipe différent des enfants seuls. Lui, de vouloir se marier avec sa sœur, ça lui fait économiser de dire comme un autre enfant : « Je me marierai avec maman », mais c'est exactement la même chose. Ce n'est pas encore une « fixation » qui l'arrête.

Ce qu'il y a de particulier à savoir pour les jumeaux, c'est que, ayant été ensemble depuis toujours, ils ne peuvent pas envisager d'avenir l'un sans l'autre. Mais ça changera avec l'école, avec la vie courante, avec les amis qu'ils se feront. C'est en cela que les parents peuvent aider leurs enfants : en leur faisant rencontrer d'autres enfants, éventuellement d'autres jumeaux, s'ils en connaissent. Ils verront alors que tous les enfants jumeaux ont les mêmes problèmes.

C'est difficile, pour des parents d'enfants jumeaux, de se projeter, je veux dire de penser comme pensent ceux-ci, pour s'identifier à eux ; parce qu'eux ne pensent pas, à quatre ans, comme peuvent avoir pensé, à cet âge, une mère et un père sans jumeau.

La mère dit, d'autre part, qu'ils prennent les enfants séparément pour les promener…

… et que ceux-ci ne semblent pas en souffrir.

Ce n'est pas étonnant puisque, quand l'enfant dit : « Je me marierai avec ma sœur », sa sœur est une sorte de « sous-produit » de maman. Et même plus : elle représente papa et maman pour lui, comme maman représente papa-maman. A quatre ans, la maman n'est pas très distincte du père ; c'est une partie de papa-maman ; et papa est une partie de maman-papa. Alors, qu'on ne se mette pas martel en tête, déjà, à cause de l'Œdipe. L'Œdipe est une structure d'inconscient, qui se résout chez tous les enfants ; chez les jumeaux, un peu différemment de chez les autres, certes. Ils trouveront bien leur chemin en menant une vie équilibrée et en ayant une vie de société autour d'eux.

J'ai là une lettre d'une mère qui pose un problème sérieux sur lequel on dit beaucoup de bêtises. « J'ai un garçon de sept ans et demi, qui est bon, qui est très joli, qui a un beau teint de pêche, qui n'aime jouer qu'avec les filles et faire du canevas, de la couture. Quand, à la télévision, il voit un ballet, il ne peut pas s'empêcher de se mettre à danser. Son père entre dans des fureurs épouvantables en voyant son fils avoir ce comportement, le traite de "pédé", l'insulte. » La mère dit qu'elle n'est pas d'accord avec cette violente réaction du père. Jusqu'à présent, elle pensait que l'homosexualité était surtout un vice, mais, écrit-elle, « j'ai lu quelque part que, peut-être, une anomalie physiologique pouvait entraîner l'homosexualité. Est-ce que le physique de mon fils est un signe d'alarme ? Que dire ? Que faire ? »

Eh bien, d'abord, elle a tout à fait tort. Il n'y a rien de physiologique dans l'homosexualité. C'est une structure psychologique. Et cette structure psychologique, certains enfants y sont conduits dès qu'ils sont petits par une attitude hostile de leur père à leur féminité chez les garçons – comme à la masculinité chez les filles. Féminité d'apparence d'ailleurs, car ce garçon peut être très viril en étant gracieux, blond, séducteur, joli, aimant l'esthétique et la danse et se trouvant beau dans la glace, s'il l'est vraiment. Ça, c'est le narcissisme. Mais pourquoi le père est-il si agressif contre son fils ? Pourquoi ne l'aime-t-il pas quel qu'il soit, en l'aidant à devenir autrement ? Ce n'est pas en le rejetant qu'il va l'aider, mais en lui disant, pour compenser cette beauté apparente par l'estime qu'il a pour lui : « Il n'y a pas que cette apparence. Tu es déjà très beau. Je te trouve adorable. Il faut que tu deviennes viril. J'aimerais, moi... » Il me semble que ce père est trop « émouvable » par son fils – si je puis dire (je ne sais pas si le mot est français). Cet enfant montre déjà des goûts esthétiques et peut-être une vocation de danseur, une sensibilité qui lui permet de jouer avec les filles... Après tout, il n'a pas de sœur.

Alors, pourquoi ne pas jouer avec des filles ? La mère dit, d'ailleurs, qu'il est toujours le mari, qu'il veut jouer au père et au mari quand il joue avec des filles. Je ne sais pas du tout. Je ne peux pas lui dire si cet enfant est déjà engagé dans une structure vraie, qui fera de lui un homosexuel, car ne l'est pas qui veut.

C'est très difficile de l'être. Il y a des garçons qui ont envie d'être homosexuels pour pouvoir avoir de l'argent de quelqu'un qui voudrait d'eux comme amant ; mais eux, ils ne sont pas du tout homosexuels. Si tous les humains dans leur enfance, et surtout à l'adolescence, ont des tendances homosexuelles, parfois même des désirs passagers, n'est pas vraiment homosexuel qui veut. L'homosexualité, c'est une structure psychique et inconsciente ; ce n'est pas du tout volontaire ; le désir véritable et le plaisir ne se commandent pas. Si un homme ou une femme est homosexuel vrai, c'est qu'il ne lui est pas possible de faire autrement. Il y en a beaucoup d'ailleurs qui essaient de se « soigner » – c'est soignable dans certains cas par la psychanalyse, pour ceux qui en souffrent. Mais pourquoi en souffrir, après tout ? Nous ne savons pas tout de l'homosexualité.

De toute façon, ce n'est jamais en méprisant un enfant qui semble devenir homosexuel ou se développer vers cette tendance qu'on l'aide ; c'est au contraire en lui expliquant ce que c'est, et en lui disant qu'un homosexuel est malheureux parce qu'il ne peut pas avoir de descendance du fait que son désir sexuel n'est pas orienté vers l'autre sexe ; c'est en parlant clairement de ces problèmes, mais aussi en développant, chez l'enfant, toutes les qualités qu'il semble avoir.

En ce qui concerne ce garçon, il faut le faire travailler sérieusement la danse, par exemple, et non pas le laisser jouer devant l'écran. A sept, huit ans, il faut socialiser les dons et les qualités naturelles d'un enfant, qu'elles paraissent féminines ou masculines ; la sublimation, c'est-à-dire l'utilisation de façon culturelle et artistique de ses dons et qualités dans la société, c'est ce qui peut le mieux valoriser et peut-être viriliser cet enfant ; qu'il devienne danseur –

puisqu'il aime ça. La danse est un exercice extrêmement dur et virilisant pour ceux qui sont virils, et qui n'homosexualise jamais aucun garçon. Les danseurs ne sont pas des homosexuels plus que les autres. Ce sont des artistes. C'est autre chose. Ce sont très souvent des chastes, d'ailleurs. Ils peuvent paraître homosexuels parce qu'ils restent entre eux. Mais d'autres artistes aussi. Les mathématiciens restent bien entre mathématiciens, etc. La danse est un art qui prend toute la vie d'un sujet.

Maintenant ce père, qu'il comprenne qu'il faut qu'il aide son fils au lieu de le rejeter, parce que c'est alors qu'il le lancera dans une attitude narcissique de repli sur lui-même et sur des tendances qui ne sont pas, pour l'instant, très orientées.

Si je vous comprends bien, vous répondez à la mère qui vous dit son angoisse que c'est surtout au père de régler l'affaire…

Oui.

… et ça semble très difficile, parce que le père entre dans des fureurs noires. La mère précise que, lorsque son mari voit quelqu'un d'efféminé dans la rue, il a envie de lui casser la figure.

C'est très curieux que les homosexuels lui donnent envie d'aller en corps à corps avec eux. Je crois que cette mère pourrait parler à son mari – puisqu'elle dit que leur couple est excellent, qu'ils s'entendent, qu'ils s'aiment – et lui dire que l'homosexualité n'est pas une maladie, mais une structure qui se développe chez des enfants pour qui la sécurité et la confiance en leur père ont fait défaut. L'angoisse de la mort prend chez eux un caractère plus aigu justement, parce que les homosexuels vont vers une vie sans descendance, ce qui demande énormément de sublimations pour éviter le malheur. Peut-être cet homme comprendra-t-il qu'il fait fausse route pour élever son fils et qu'il devrait parler sérieusement à un psychanalyste de ses propres difficultés à admettre, chez son fils, ces attitudes qu'il prend pour déjà « pédérastiques ». (D'ailleurs, il faudrait préciser qu'être « pédé », ce n'est pas être homosexuel. Il y a des homosexuels et il y a des pédérastes.) Ou que cette mère aille voir un psychanalyste, elle, pour comprendre un peu mieux son mari.

Mais l'enfant va être en difficulté, si ça continue. Je ne peux absolument rien dire d'autre pour l'instant, si ce n'est qu'actuellement on n'éduque pas cet enfant à développer ses qualités et, en particulier, à travailler les dons qu'il a, pour son plaisir et celui des autres, et peut-être pour son bonheur, celui de trouver sa voie et de donner un sens à sa vie.

Une autre question. C'est une lettre d'enseignante. Son mari est artiste. Ils ont deux enfants : un garçon de dix ans et demi et une fille de six ans. La fille ne lui pose pas de problèmes apparemment – elle n'en parle pas dans sa lettre –, mais elle est inquiète pour son aîné. Depuis deux mois, soit il a des difficultés pour s'endormir le soir, soit il se réveille la nuit et n'arrive pas à se rendormir. Et il a un peu peur de ses insomnies. Elle a vu un médecin qui a prescrit des somnifères très efficaces, que l'enfant, maintenant, réclame. Elle explique, par ailleurs, qu'il est très épanoui à l'école, a d'excellents résultats scolaires, mais ne pratique pas de sports. Pour que le tableau soit complet, elle précise que son mari a fait une brutale dépression nerveuse récemment et qu'il a maintenant retrouvé son état normal. « Moi-même, écrit-elle, j'ai été très éprouvée, mais cela n'a pas été très visible. » Elle a quand même engagé une psychothérapie pour essayer de surmonter tout ça. Elle vous demande si l'enfant peut déjà être préoccupé par son corps et par les problèmes sexuels, alors qu'extérieurement, disons physiquement, c'est encore un petit garçon. Elle s'inquiète également de la dépendance aux médicaments.

Il y a beaucoup de questions dans cette lettre. Évidemment, il est dommage qu'il y a deux mois, quand les insomnies ont commencé, le médecin ait tout de suite donné des somnifères, sans chercher ce qui se passait dans la vie imaginaire de l'enfant et ce qu'étaient ces cauchemars qu'il fuyait. Car un enfant qui a des insomnies, alors qu'il n'en avait pas quand il était jeune, fuit un cauchemar. Ce sont peut-être des cauchemars à retardement, des cauchemars d'enfant de sept, huit ans. Le père a fait une dépression et la mère a eu des problèmes psychologiques ; l'enfant a alors senti chez ses parents une dévitalisation ; et qui dit dévitalisation dit, chez l'enfant, un certain trouble dans l'équilibre de la vie inconsciente, et peut-être même une insécurité familiale consciente. Peut-être des cauchemars de mort des parents, qu'il a pu faire de six à sept ans, se sont-ils réveillés à cette occasion. Moi, je suis désolée quand les pédiatres donnent des remèdes dès qu'un enfant ne dort pas, alors qu'on peut faire du concentré de tilleul bien sucré (c'est déjà pas mal) ; ou laisser une pomme à portée de l'enfant qui se réveille la nuit ; ou mettre du papier, des crayons, des dessins et lui dire : « Si tu te réveilles, écris tout ce que tu penses à ce moment-là. » Très souvent, les cauchemars disparaissent ainsi. Ici, l'enfant semble déjà un peu drogué, à ce que dit la mère ; voilà qu'il réclame ses médicaments. Or ce ne sont pas du tout de petits médicaments, d'après sa lettre, mais presque des médicaments pour adultes.

Il est surtout content que ça le fasse dormir, puisqu'il avait peur des insomnies.

Je crois qu'il fait, par contrecoup de celle de son père, une petite dépression.

La mère vous parle également de problèmes sexuels. Elle vous demande si…

Mais bien sûr ! Ce n'est pas parce qu'il n'est pas pubère qu'il n'a pas de problèmes, pas d'intérêt pour son corps, et

qu'il ne se masturbe pas, cet enfant. C'est tout à fait normal. Mais peut-être croit-il que c'est mal. Peut-être a-t-il
entendu dire à un autre enfant, pas forcément à lui : « Si tu
continues, on va te la couper », puisque c'est toujours la
mode de dire ce genre de choses. Il est très important que le
père parle de la masturbation avec lui, d'autant qu'il est le
seul garçon, qu'il n'a pas d'aîné, et que se masturber est un
moyen de lutter contre un état dépressif. La masturbation
est importante entre quatre et sept ans. Vers sept ans, ça se
calme et ça recommence vers douze, treize ans. Mais je
crois qu'étant donné ce qui s'est passé dans la famille, le
garçon a dû redécouvrir, pour se revitaliser, une masturbation plus ancienne. Ce n'est pas du tout la masturbation de
la puberté. C'est une masturbation accompagnée d'imaginations d'enfant. Peut-être cet enfant aurait-il intérêt à voir
un psychothérapeute.

*Je pense à une phrase que vous avez prononcée, voici
quelques instants, disant que cet enfant avait peut-être
entendu quelqu'un dire : « Si tu continues, on va te la couper. » Je crois qu'il y a, à ce propos, un témoignage à évo-
quer. Un correspondant vous y explique ce qui est arrivé à
son garçon. Celui-ci, quand il avait deux ans, était en
maternelle avec sa sœur qui avait un an de plus que lui.
Après quelques semaines de maternelle, le garçon s'est mis
à souffrir d'énurésie – il faisait pipi au lit régulièrement.
Pourquoi ? Ils ont tout fait, tout essayé : ils ont mis un verre
d'eau à côté de lui, comme vous le conseillez souvent ; ils
ont vu un psychologue. Et, pendant six ans, ils ont cherché
et n'ont pas trouvé. Et puis, un soir, en discutant d'éducation scolaire avec un de ses amis, la mère a rappelé une
phrase que sa fille avait rapportée au début de cette
fameuse année scolaire, à la maternelle. La religieuse qui
s'occupait d'eux avait dit aux enfants : « Si je vois un petit
jouer avec son zizi, je lui coupe. Ce ne sont pas des
manières. Ce n'est pas convenable. » « Nous, remarque le
père, nous avions alors consolé la petite en lui disant que,
de toute façon, elle n'avait pas de zizi et que, par consé-*

quent, elle n'avait rien à craindre de ce côté-là. Mais nous avions oublié que le garçon avait, lui aussi, entendu cette phrase. Et, sans doute que le matin, quand il avait envie d'aller uriner, il y repensait et, finalement, faisait pipi au lit. Dès le lendemain de cette conversation, les parents ont mis les choses au point avec le garçon. « Tout a été fini le jour même. Six ans de tracas pour nous, mais six ans de repli pour lui, six ans de manque d'ouverture. Une véritable catastrophe ! C'est si invraisemblable qu'il m'a semblé bon de faire savoir que cela pouvait exister. »

Mais bien sûr ! Il existe encore, malheureusement beaucoup de parents qui menacent le garçon de lui couper le zizi ; ou menacent de maladies graves et d'idiotie, les filles et les garçons, si ils ou elles se masturbent ; ou encore, on les menace de ne plus les aimer. On veut les mettre au désespoir. Je crois que cette lettre répond clairement à ce que je disais tout à l'heure. Il faut que les parents déculpabilisent absolument le toucher-la-verge des garçons et le toucher-le-sexe des filles, en disant que ça ne se fait pas devant tout le monde, par simple pudeur, mais que ça n'a pas d'importance, que ça ne regarde personne et que ce n'est puni de rien du tout.

Roméo et Juliette avaient quinze ans
(Adolescents)

Voici une mère éprouvée à cause de sa fille de quinze ans. Elle a d'autres enfants : un garçon de seize ans, et deux filles de dix et deux ans. Cette femme vient, donc, de découvrir que sa fille de quinze ans a un flirt avec un garçon de dix-huit ans, et ils s'en soucient beaucoup, elle et son mari. Elle précise qu'elle a fait l'éducation sexuelle de sa fille sans problèmes – sans donner d'ailleurs d'autres détails à ce propos. Son émoi souligne, je crois, la réaction très vive qui peut exister, à l'intérieur de certaines familles, devant une évolution qui nous est, à nous, en somme familière. Cette femme est paniquée, s'inquiète énormément.

Elle est paniquée devant la chose la plus normale qui soit. Et même la plus saine, à voir la façon dont la jeune fille réagit jusqu'à présent.

La mère écrit : « J'ai été prise de panique. J'ai dû réfléchir plusieurs jours quant à la conduite à tenir avant d'en parler à mon mari » – après, donc, avoir découvert que sa fille recevait des lettres de ce garçon de dix-huit ans qui est en ce moment au service militaire. « Elle est trop jeune, poursuit-elle. Cette situation ne peut que lui apporter des désagréments. Ses notes ne sont déjà pas très brillantes en classe. C'est ce que j'ai répondu à ma fille qui me disait que, dans certaines familles, on pouvait parler beaucoup plus facilement et sans crainte de ces problèmes-là. Elle me trouve vieux jeu. Je ne sais plus où j'en suis. » Elle parle de notre époque de dépravation et vous demande si c'est vraiment normal, le flirt, à quinze ans.

Mais oui. Enfin, dans *Roméo et Juliette*, Juliette avait bien quinze ans ! C'est vrai que pour ces deux-là, ça n'a pas bien tourné… mais pour d'autres raisons. Cette femme a aussi un fils de seize ans : je suis étonnée qu'elle n'en parle pas, car j'espère qu'il a, lui, sa Juliette. C'est tout à fait normal. A quinze ans, que cette jeune fille ait un flirt de dix-huit ans, c'est dans l'ordre des choses. Je vois que la mère écrit : « Je ne peux tout de même pas l'attacher à la maison pour qu'elle ne sorte pas le dimanche. » Et, en lisant cette lettre, on se demande, en effet : « Pourquoi ne l'attacherait-elle pas ? », tellement elle semble affolée.

« Si seulement j'étais sûre, continue-t-elle, que ce flirt reste sans gravité. »

Mais que veut-elle dire par « gravité » ? Il est très possible que cette jeune fille soit en amour avec ce garçon et que ce soit quelque chose de sérieux, qui puisse avoir de l'avenir. Après tout, pourquoi pas ? Personne ne sait à quel âge se décide le destin d'un couple. Il y a des jeunes qui se connaissent depuis l'âge de quinze ans, qui sont amoureux l'un de l'autre et qui se marient le jour où le garçon a une situation, alors que la fille est encore jeune. Ce n'est pas si rare. Moi, j'ai eu une grand-mère qui s'était mariée à quinze ans, une arrière-grand-mère à quinze ans et demi. Je trouve ça très normal, d'aimer à quinze ans, et peut-être pour la vie. On n'en sait rien. Mais il est évident que la mère est mal partie si elle croit que c'est mal. Quel mal y a-t-il à aimer ?

Je crois que, quand elle écrit : « Si j'étais sûre que ce soit sans gravité », on peut traduire par : « Si j'étais sûre que ma fille ne fasse pas l'amour avec ce garçon » – je veux dire physiquement – parce qu'elle ajoute : « Vous compre-nez, j'ai appris par ma fille, qui n'a pas beaucoup de secrets pour moi, que plusieurs filles de seize ans dans sa classe prennent la pilule. » Et elle a peur, si vous voulez…

Oui, elle est un peu perdue devant une génération qui est, peut-être, beaucoup plus sage que ne l'étaient nos générations. Les jeunes apprennent à se connaître tôt et, en effet, puisque la science le permet, sans risquer, à l'occasion de premiers contacts sexuels, d'avoir un enfant qui n'aurait pas été désiré et qu'ils sauraient mal élever parce qu'ils ne seraient pas encore mûrs, la fille en tant que mère, le garçon en tant que père.

Mais enfin, même ça, avoir un enfant, ce n'est peut-être pas « grave » : une descendance chez une fille jeune, pourquoi pas, si le garçon est très bien et si la famille de ce garçon est d'accord ? On n'en sait rien. De toute façon, on n'en est pas là : ce sont deux jeunes gens qui s'écrivent et qui s'aiment. Puisque la fille invitait toujours ses copains et ses copines avant, je ne vois pas pourquoi, maintenant, on changerait, sous prétexte que, cette fois-ci, il y a de l'amour. Je crois même que c'est un peu plus sérieux. Sérieux ne veut pas dire grave. Sérieux veut dire valable.

Elle a l'air d'avoir peur, si vous voulez, à la fois que sa fille ait un enfant et qu'elle prenne la pilule.

On dirait surtout qu'elle ne peut pas la préparer à ses responsabilités de femme. Pourtant, femme, elle le devient. Il le faut. D'abord, cette jeune fille a dit : « Mais non, je suis sérieuse », ce qui veut dire : « Je ne veux pas prendre des risques trop tôt. » Puis, il est possible aussi qu'elle aime un garçon valable qui, de son côté, est (ou se croit) épris sérieusement d'elle. Alors, pourquoi ne pas l'inviter ? au lieu de chercher à les empêcher de se rencontrer. Très souvent, c'est justement quand on invite à la maison un garçon dont une fille est éprise, que les deux jeunes se rendent compte du genre d'éducation que chacun d'entre eux a. Et ceci peut avoir un très bon effet sur leurs relations et leur intimité – si, vraiment, le garçon se plaît dans la famille de la jeune fille, et si celle-ci est invitée aussi par la famille du jeune homme. C'est là, entre autres, qu'on mesure s'il peut y avoir un amour d'avenir. Nous n'en savons rien. Mais enfin, dix-huit ans, c'est la majorité. Pourquoi pas.

Encore une chose : la jeune fille a quinze ans. pourquoi a-t-elle de mauvaises notes ? Peut-être est-elle pressée de vivre – vivre sérieusement, c'est-à-dire prendre ses responsabilités dans l'existence. Peut-être pourrait-elle changer d'orientation – si elle est partie pour de longues études et qu'elle projette, déjà, de lier sa vie à celle d'un jeune homme – et commencer à préparer un métier, pour s'y engager dans deux, trois ans. Je ne sais pas : il faudrait parler à cette jeune fille pour savoir ; mais je ne vois rien de terrible dans tout cela.

Si cette mère est très inquiète, pourquoi ne va-t-elle pas consulter le centre médico-pédagogique de sa ville, où elle pourrait parler, seule d'abord, avec quelqu'un, pour se faire aider ? Quelque chose m'étonne dans sa lettre, c'est que la jeune fille laisse son journal sur sa table et les lettres du jeune homme dans son tiroir. Ce qui veut dire qu'elle ne veut pas se cacher de sa mère. Si ça doit mettre la mère dans cet état, peut-être vaudrait-il mieux qu'elle se cache. Je n'en sais rien.

Le père, en plus, dit à sa femme qu'elle se fait complice de la jeune fille.

Je ne sais pas ce qu'il veut dire par « complice ». Complice en quoi ? En le sachant ? C'est à lui de parler à sa fille. C'est sérieux, d'aimer. Cet homme a certainement aimé des jeunes filles, lui aussi, quand il avait dix-huit ans… En fait, ces parents croyaient avoir une enfant ; tout d'un coup, ils s'aperçoivent qu'ils ont une jeune fille au foyer et semblent affolés ; moi, je ne trouve rien de mal, vraiment, dans tout ça. Je trouve même ça assez sain – et joli.

Voici une lettre un peu semblable à la précédente. C'est une famille méridionale de quatre enfants : un garçon de vingt ans, une fille de dix-sept ans et demi et deux autres garçons de douze et dix ans. La mère écrit au sujet de sa

*fille de dix-sept ans et demi : « C'est presque une confes-
sion que je vous fais. Je n'ai pas eu de parents et ai toujours voulu être très proche de mes enfants. J'avais réussi à
convaincre ma fille qu'il serait mieux, à cause du manque
de maturité, qu'elle n'ait pas de rapports sexuels avant dix-
huit ans. » Elle lui avait d'ailleurs proposé d'attendre jusqu'à cet âge-là et d'aller voir un gynécologue pour régler
ensemble ce problème. Or, elle vient d'apprendre que sa
fille prenait la pilule en cachette. Elle a peur que ça la
rende « malade » – ce sont ses propres termes. Comment
lui en parler ? Comment dire à sa fille : « Je sais que tu
prends la pilule » parce que tout ça ne s'est pas vraiment
dit, dans cette famille. La mère se sent, si vous voulez, un
peu bernée ; elle se refuse « à faciliter la confession de sa
fille ». Le père, lui, n'est pas au courant. Comment faire ?*

Il y a beaucoup de confessions là-dedans, comme s'il y
avait de la culpabilité. Je crois que ça vient de ce que cette
femme n'a pas eu de mère et qu'elle a rêvé d'être une mère
imaginaire. Qu'elle se rassure ! Il n'y a ni aveux ni confessions à faire. Elle a été une très bonne mère. La preuve,
c'est que cette jeune fille se sent adulte, et cela plus tôt que
sa mère ne le croyait. D'ailleurs, dix-sept ans et demi… La
mère pensait qu'à dix-huit ans, il n'y aurait pas de danger à
prendre la pilule ; pourquoi y en aurait-il à dix-sept ans et
demi, ou à seize ans, ou même à quinze ans et demi ? A partir du moment où une jeune fille prend elle-même ses responsabilités sans se sentir coupable, cela prouve qu'elle a
eu, je le redis, une très bonne mère. Si elle avait un désir de
relations sexuelles, elle a été très avisée de ne pas risquer
d'avoir un enfant avant de le souhaiter, elle, en même temps
qu'un garçon avec qui, véritablement, les relations de cœur
et de corps seraient équilibrées au point de pouvoir dire :
« Maintenant, nous annonçons aux parents que nous allons
avoir un bébé. »

Tout ça ne regarde absolument pas le père de cette jeune
fille qui est quasiment adulte. On a décidé que la majorité
était à dix-huit ans, mais, pour beaucoup d'enfants, la majo-

rité morale est à seize ans. Cette fille a acquis sa majorité en faisant ce qu'elle a fait.

Maintenant, si sa mère veut lui en parler d'une façon tout à fait simple, en disant : « Je sais que tu l'as fait. Pour moi, ça m'a étonnée parce que je n'ai pas eu de mère, etc. Mais tu as bien fait », ce sera très bien, et la fille sera tout à fait en confiance avec sa mère.

Cela dit, cette lettre particulière aborde un problème général que beaucoup de parents qui ont des filles entre seize et dix-huit ans se posent : celui de la pilule. Que pouvez-vous dire sur ce sujet ?

Cette dame a dit à sa fille : « Temporise ! Tu n'es pas encore mûre à quatorze ou à quinze ans » et elle a eu raison de dire cela. Une mère peut le dire à sa fille : si celle-ci l'entend, c'est, qu'en effet, elle n'est pas encore mûre ; si elle n'en fait qu'à sa tête, c'est peut-être qu'elle est écervelée, mais c'est peut-être aussi qu'elle est mûre ; on n'en sait rien. En tout cas, il est prudent que, dès l'âge des règles, la mère emmène sa fille chez une ou un gynécologue en lui disant : « Je vous confie ma fille. Si elle vient vous voir un jour sans moi, sachez que j'ai toute confiance en vous » ; et qu'elle dise à sa fille : « Si tu as besoin de voir un gynécologue, il n'est pas nécessaire de me le dire. C'est ton affaire de jeune fille. » C'est comme cela qu'une mère peut aider sa fille. Celle-ci, d'ailleurs, sera peut-être très étonnée : « Mais, maman, tu n'y penses pas ! Moi ? » Et la mère répondra : « Bien sûr ! Je prends les devants, parce que nous ne savons pas quand ça arrivera ; quand tu te poseras un problème sur ta vie génitale, eh bien, sache que les médecins sont là pour ça. Simplement, j'aime mieux avoir choisi et connaître la personne que tu iras voir. » Parce qu'on peut avoir plus confiance dans un médecin que dans un autre. Si c'est le médecin de famille qu'elle choisit – on n'est pas forcé d'aller voir un spécialiste, quand il n'y a pas de problèmes spéciaux –, la mère peut, quand sa fille a quatorze ans, lui dire devant elle : « A partir de maintenant, ma fille est assez grande pour venir seule et je vous fais toute confiance pour voir avec elle quand il y aura des problèmes de vie féminine. Je préfère que ce soit vous qui lui en parliez. » Cela non pour faire des secrets, mais pour que cette petite atteigne à sa propre autonomie, dans sa vie sexuelle, sans que la mère ait à penser qu'elle lui fait des cachotteries. C'est prévu d'avance, le jour où ça arrivera. Comme ça, elle a vraiment rempli son rôle de mère. Ce qui n'empêche pas celles qui sont libres d'en parler avec leur fille, de continuer à le faire. Pourquoi pas ? Mais c'est au gynécologue, dès l'âge de la nubilité, c'est-à-dire des règles, que mère et fille doivent faire confiance. Il est lié par le secret professionnel. Mais il peut mieux aider une jeune cliente lorsqu'il connaît déjà la mère.

Donc, je retiens de ce que vous avez dit, une fois encore, qu'il faut parler – ne pas avoir peur des mots et de la vérité – toujours.

Oui, et mettre en sécurité ses enfants pour ce qui touche à l'autonomie qu'ils ont à conquérir, dans tous les domaines. Mais aussi les mères qui se font de la maternité une vision imaginaire doivent savoir qu'un beau jour cette bulle de savon crèvera. Parce qu'une mère, dans la réalité, c'est celle dont l'enfant a besoin, et non pas toujours celle que la mère croit être.

Lettres du mercredi
(Adolescents)

Une jeune fille de quinze ans et demi vous écrit qu'elle a du mal à trouver le sommeil. Cela remonte très loin car, d'après ce que ses parents lui ont dit, elle n'avait déjà pas besoin de beaucoup de sommeil étant bébé, ou plutôt, elle avait besoin de dormir moins longtemps que les moyennes indiquées par les manuels.

C'est vrai qu'il y a des gens ainsi disposés et qui le restent toute leur vie.

En grandissant, à l'âge scolaire, elle a eu des difficultés à s'endormir, sans que cela la gêne beaucoup : « Je m'endormais, écrit-elle, vers dix heures, dix heures et demie le soir, et je me levais à sept heures. Mais, depuis un an, il est fréquent que je ne trouve le sommeil que vers onze heures et demie, minuit. Je me couche pourtant à neuf heures et demie. Je me sens fatiguée le matin. Ces fatigues s'accumulent et cela m'inquiète. » Elle demande si vous pouvez lui donner quelques indications sur la façon de venir à bout de ce problème. Elle précise qu'elle n'a pas de gros soucis, mais qu'elle se sent crispée, souvent, pour des choses de peu d'importance. Sa mère lui a demandé d'ajouter qu'elle-même est très anxieuse de tempérament, et craint d'être responsable de la tension de sa fille.

Cet ajout de la mère est important, en effet, parce qu'il est très fréquent que l'angoisse d'une personne avec laquelle on vit déteigne sur les autres, surtout sur les enfants. Si cette femme souffre de son anxiété, elle pourrait aller voir une psychothérapeute qui l'aiderait. Quant à la jeune fille, il me semble, à lire ce qu'elle écrit de son sommeil, qu'il est suffisant. La seule chose ennuyeuse c'est qu'elle se sente fatiguée et qu'elle dormirait sans doute davantage – si elle pouvait – le matin. Je ne sais que lui dire.

D'abord, elle se déclare crispée dans la journée : or l'une des réactions à la crispation est qu'on retient sa respiration ; et plus on la retient, plus on aggrave la crispation ; donc, quand elle se sent crispée, qu'elle pense à inspirer largement, et à chasser l'air de ses poumons jusqu'au bout, plusieurs fois, les yeux fermés, en essayant de se relaxer. Je crois que sa crispation disparaîtra ainsi.

En ce qui concerne le sommeil, je lui conseille de lire un livre de Jeannette Bouton, *Bons et Mauvais Dormeurs*, qui est très bien fait, et qui lui permettra de mieux se comprendre, de se détendre, de trouver le sommeil – ou plutôt d'avoir une meilleure qualité de sommeil.

On peut peut-être revenir sur cette notion de qualité du sommeil ; parce qu'en somme, on se sent ou non reposé, parfois après avoir dormi le même nombre d'heures…

C'est ça ! On se sent fatigué quand on a l'impression de ne pas avoir dormi assez profondément pour être arrivé à une détente complète, à un zéro total de vigilance. C'est quand on a atteint ce stade, qui s'accompagne aussi du souvenir d'avoir rêvé que, le matin, on se sent frais et dispos.

Mais y a-t-il un « truc », qui permette d'améliorer la qualité du sommeil ?

Sûrement ! D'abord, il faut que les personnes sensibles au bruit s'isolent pour dormir : il est possible que la rue sur laquelle la fenêtre de cette jeune fille donne soit bruyante. Il se peut aussi que sa chambre ne soit pas tout à fait fermée à la lumière du jour : or il y a des gens qui sont sensibles au jour à travers leurs paupières. Il se peut encore qu'elle ne fasse pas le vide en elle, le soir, en s'endormant, et qu'elle ne se livre pas, en toute confiance, à un rythme profond de respiration. Enfin, il peut y avoir beaucoup de petites choses comme ça. Mais ce n'est sûrement pas en s'obsédant et en se répétant : « Je ne vais pas dormir ! Je ne vais pas dormir ! » qu'elle dormira mieux. Ce qu'il faut surtout éviter, c'est de prendre des somnifères.

Une autre jeune fille de dix-huit ans et demi est en classe de terminale : « J'ai un problème, écrit-elle, qui est classique et que l'on retrouve chez beaucoup de jeunes : je me ronge les ongles, depuis l'âge de cinq, six ans. » Elle ne connaît pas l'origine de ce qu'elle analyse comme une agressivité envers elle-même et cherche en vain à s'expliquer pourquoi elle se ronge ainsi les ongles. Elle écrit, par ailleurs, qu'elle est la dernière d'une famille de dix enfants, où il y a six filles et quatre garçons ; qu'elle est en très bonnes relations avec ses parents ; qu'elle est entièrement satisfaite de l'éducation que ceux-ci lui ont donnée ; il n'y a, précise-t-elle, jamais eu ni autoritarisme ni laissez-faire abusif dans sa famille, et elle-même s'en trouve très bien. Elle poursuit : « Depuis quatre ans environ – je ne sais pas si cela est dû à la mort de mon frère, qui avait vingt et un ans –, je me ronge de plus en plus les ongles. Cela va de mal en pis. Plusieurs fois, je suis arrivée, très provisoirement, à me passer de cette espèce de tic, mais je sais que, tant que je n'aurai pas trouvé la cause première du mal, rien ne pourra s'arranger. » Elle demande si, à votre avis, cela peut remonter à la toute petite enfance, comment on peut analyser cela et si la psychanalyse peut aider dans ces cas-là. Et elle termine : « Je vous avoue que je n'ai pas honte de me ronger les ongles. Ce n'est pas mon premier souci. Mais enfin, cela me préoccupe parce que je voudrais connaître ma propre vérité. »

Puisque cette habitude ne la gêne pas excessivement, c'est plutôt son souci de se connaître elle-même qui est, je crois, essentiel : un souci de l'adolescence ; il ne faut pas qu'elle s'en tracasse. L'important est de s'intéresser aux autres. Il est très possible que, dans sa classe par exemple, d'autres filles et d'autres garçons se rongent les ongles. Ce qui serait intéressant pour elle, ce serait de parler avec ceux d'entre eux qui voudraient se corriger – parce qu'il y a un âge où, si l'on ne s'est pas corrigé définitivement de cette habitude, on devra « faire avec ». Il y a des gens remarquables qui se rongent les ongles toute leur vie, et que cela ne gêne pas particulièrement. Ils s'acceptent comme ils sont. Si vraiment ça la gêne, elle, c'est, je crois, parce que cela devient une idée obsédante ; ou parce que ses frères et sœurs se moquent d'elle. (Il faut bien qu'ils trouvent quelque chose pour se moquer d'elle ; alors, ils se moquent de cela.)

C'est au moment où elle a commencé à avoir cette manie qu'il s'est passé quelque chose pour elle, qui l'a empêchée – pour des raisons que je ne sais pas, et qu'elle ne peut pas trouver simplement, en y réfléchissant – de s'extérioriser plus et de devenir plus motrice. Par « motrice », je veux dire : jouer davantage d'une façon un peu violente, un peu brutale. Peut-être s'en empêchait-elle ? Elle était la petite dernière. Peut-être a-t-elle rongé son frein, comme on dit.

Elle vous demande, surtout, votre avis, à vous.

Mais, moi, je ne peux rien savoir pour elle !

Elle écrit : « Est-ce qu'une psychanalyse peut aider à trouver sa propre vérité ? »

Oui… si ce n'en est pas le but exclusif. On n'entre pas en psychanalyse – un travail assez long – pour trouver sa vérité, par simple curiosité de soi-même, mais parce qu'on est angoissé, qu'on souffre et que cette souffrance ne parvient pas à s'exprimer, à se « ventiler », par l'activité et les relations qu'on établit avec les autres. Parce qu'on est replié sur soi-même. Cette jeune fille ne semble pas du tout en être là. Son souci paraît presque théorique.

Il est possible que le gros chagrin qu'elle a eu en perdant son frère l'ait un peu conduite à se replier sur elle-même. Mais aucun psychanalyste ne pourrait lui dire la raison pour laquelle elle se ronge les ongles. Une psychanalyse, c'est un travail intérieur, qui ne touche pas un problème isolé, mais retraverse le vécu de toute une vie. Il n'est pas nécessaire d'entreprendre une psychanalyse quand il n'existe qu'un petit souci superficiel, qui pourrait se résoudre par une activité plus grande. Peu à peu, son travers restera ou disparaîtra sans être pour elle un souci, parce qu'elle aura bien d'autres choses à faire dans la vie.

Voici maintenant deux questions d'adolescentes dont les parents se sont séparés depuis longtemps. C'est d'abord l'aînée d'une famille de trois filles, qui ont respectivement dix-huit, quatorze et douze ans ; les parents « ont divorcé ou se sont séparés à l'amiable » (elle ne sait pas exactement ce qui s'est passé). Au moment de cette séparation, il y a six ans, les enfants sont restées dans une grande maison avec leur père et les grands-parents. L'aînée se dit soucieuse de sa jeune sœur : elle ne travaille pas bien en classe ; par ailleurs, elle est très mûre pour beaucoup de choses et a été élevée plus librement que les deux autres qui, elles, avaient reçu une éducation sérieuse, et même sévère, que notre aînée trouve très bonne. Et elle semble s'inquiéter un peu de cette génération toute différente que représente pour elle la fillette de douze ans.

Je crois que cette jeune fille s'occupe trop de sa petite sœur. Elle dit à un moment : « Elle ne veut pas recevoir d'ordres de sa grande sœur. » Cette grande sœur voudrait qu'elle travaille bien, etc. Je pense que la fillette de douze ans est bien assez responsable d'elle-même ; moins l'aînée essaiera de remplacer la mère absente, mieux la cadette se développera. Si la petite demande conseil, que l'aînée lui réponde du mieux qu'elle peut, mais surtout qu'elle ne lui fasse jamais la morale. Une jeune fille de dix-huit ans, qui

n'a pas eu la même enfance que sa petite sœur, ne peut pas
faire la morale à cette dernière. Qu'elle la renvoie à sa
mère, puisque l'enfant la voit toujours. D'ailleurs, quand
elle est avec sa mère, la petite n'a plus aucun problème.
Elle n'en a que chez son père et vis-à-vis de cette aînée.
Pourquoi faut-il – c'est toujours l'aînée qui l'écrit – que la
cadette vienne coucher dans sa chambre quand le père n'est
pas là, sous prétexte que, quand il est là, il la câline ? Tout
ceci ne regarde pas la grande. Qu'elle dise : « Écoute ! Moi,
je veux être tranquille le soir. Tu es assez grande. Tu as
douze ans. Tu n'es plus un bébé. Tu sais bien que tu fais un
peu tourner papa en bourrique. » Et puis c'est tout. Qu'elle
ne croie pas devoir jouer un rôle de petite mère auprès de sa
sœur. Sinon leurs rapports risquent d'être gâchés plus tard.
Au reste, que veulent dire ces mots « le père la câline »,
à propos d'une fille de douze ans, écrits par une fille de
dix-huit ? Si ce sont les mots de la petite, est-ce à dire qu'à
défaut de père c'est à la grande sœur qu'elle demande des
câlins ? L'aînée doit plutôt aider sa sœur à se faire des
amies, à fréquenter des familles. C'est peut-être difficile,
d'être la petite dernière, avec des grands-parents et un père
non remarié ; sans femme jeune au foyer.

*Le seconde lettre est un peu plus longue. C'est une jeune
fille de seize ans. Elle a un frère de vingt ans. Ses parents
se sont séparés lorsqu'elle avait cinq ans. Jusqu'à dix ans,
elle a vécu à l'étranger. Ensuite, on l'a envoyée en pension
en France, ce qui lui a permis de retourner, chaque week-
end, chez ses grands-parents paternels, alors que toute la
famille de sa mère était restée à l'étranger et que le père
est lui-même au loin, ailleurs. Depuis trois ans, elle vit avec
son frère chez ses grands-parents paternels qui, précise-
t-elle, sont assez sévères, un peu « vieille France », très
âgés, mais, finalement, très tendres aussi, sans le montrer
peut-être. En tout cas, elle a trouvé chez eux un véritable
équilibre, un foyer stable. Et elle sait que ses grands-
parents aiment leurs petits-enfants.*

Mais voici qu'elle se pose maintenant deux problèmes :
le premier concerne sa mère qui est, écrit-elle, aussi intoxi-
quée par le tabac que par l'alcool, et qui a été abandonnée
par la personne avec qui elle vivait à l'étranger jusqu'à
présent ; elle veut rentrer en France définitivement et
reprendre ses enfants. La jeune fille comprend cela ; elle
comprend aussi que, certainement, son frère et elle pour-
raient aider leur mère, si elle revenait ; mais elle ne voit
pas ce retour avec le sourire, parce qu'elle a l'impression
d'être déchirée, prise entre deux feux : « J'en ai assez, vous
comprenez, d'être la victime de tous ces gens, de ces deux
familles qui vont recommencer à se déchirer. » Et elle vous
demande si vous pouvez la conseiller à ce sujet.

C'est très difficile. En tout cas, en ce qui concerne le frère
de vingt ans, ce n'est plus un enfant qui peut être repris par
sa mère ! Il est majeur.

Oui mais – et c'est justement sa deuxième question –
qu'elle vous pose un peu plus loin –, ce frère a été grave-
ment malade quand il était jeune. A huit ans, il a été à l'hô-
pital en France et y a beaucoup souffert de l'absence de sa
mère. Résultat : il est maintenant renfermé, mal dans sa
peau, timide et ultrasensible. Il craint tellement qu'on ne
l'aime pas qu'il est trop docile, trop confiant ; les gens abu-
sent un peu de lui. La jeune fille écrit : « J'essaie de le
secouer, mais cela ne fait qu'aggraver les choses. Que faire
pour le rendre plus sûr de lui, plus confiant ? » Pour que ce
qu'elle appelle le « ghetto familial » le paralyse moins ? En
fait, il a vingt ans sur sa carte d'identité, mais il a peut-être
moins de ressort qu'elle.

Dans tout ça, vous savez, on ne peut pas *faire* quelque
chose.
Ce qu'elle peut faire de mieux, pour elle, c'est de se
développer, au point de vue social, acquérir un métier assez
vite pour gagner sa vie et pouvoir habiter chez elle, seule –
seule, ou avec son frère mais chacun restant indépendant.

Et trouver un système pour que, quand la mère reviendra, tous trois puissent vivre proches sans être trop dépendants les uns des autres : que la mère, le frère et elle travaillent par exemple, tout en vivant dans le même lieu, mais en ayant, d'emblée, beaucoup de liberté chacun. Que ce soit bien net.

Après tout, la mère est de nouveau célibataire, puisqu'elle est abandonnée et qu'elle cherche à se raccrocher à ses enfants. C'est difficile pour elle.

Les grands-parents, eux, vont souffrir d'être séparés de la jeune fille, mais elle peut aller les voir souvent. Je crois qu'ils comprendront, quand elle leur dira : « C'est ma mère de naissance. Il est normal que je l'aide et que je l'aime. » Surtout, qu'elle ne se laisse pas détourner de son chemin, qui est de continuer à se développer. Cela n'arrangerait rien pour sa mère, ni pour elle. Qu'elle pense que, faire honneur à ses parents, ce n'est pas entrer dans leur dépendance et entraver son évolution.

Quant à son frère, s'il souffre d'être renfermé, elle peut lui parler d'une psychothérapie. S'il n'en souffre pas, eh bien, qu'elle ne le tarabuste pas : c'est qu'il a cette nature-là. D'autre part, elle ne dit pas si elle est en bons termes avec son père et si elle lui a écrit de s'occuper de son fils.

Elle ne parle pratiquement pas du père...

Eh bien, justement, pourquoi ? Pourquoi le frère ne chercherait-il pas son père, ou même n'irait-il pas le rejoindre là où il est, puisqu'il est dans un autre pays ? Elle, elle pourrait l'aider en renouant déjà avec le père et en lui demandant de faire signe à son fils, de l'inviter à le rejoindre. C'est de cela que doit souffrir le fils : il doit avoir mal à son père, ce garçon. Et le père pourrait changer les choses.

C'est très difficile d'en dire plus. Il y a dans les questions que vous posez, mademoiselle, trois éléments : un élément affectif, qui est le conflit entre deux familles ; mais aussi un élément économique important, puisqu'il définit la réalité ; et la dynamique inconsciente de sujets d'âges différents.

Tout cela rend très difficile une réponse : car c'est chacun qui devrait exposer ses raisons et être aidé à choisir ce qui lui convient, sans nuire aux autres.

Un garçon de seize ans vous écrit une lettre sur l'amour qu'il est peut-être préférable que vous résumiez vous-même.

Oui. Ce garçon, lorsqu'il avait quatorze ans, a connu une jeune fille qu'il a fréquentée pendant longtemps. Elle, écoutait ; lui, parlait sérieusement de son amour pour elle. Jusqu'au jour où elle lui a déclaré brutalement qu'elle avait joué la comédie. Il a reçu là une blessure… Il écrit : « Ça l'amusait de se moquer de moi. Ça m'a fait très mal. J'avais quatorze ans quand j'ai commencé à la fréquenter. C'est deux ans plus tard qu'elle a tout cassé. Depuis, je n'arrive pas à surmonter ma peine, mon embarras, en présence des filles de mon âge. Je crois que j'ai toujours eu cet embarras mais, depuis cet accident, ma gêne s'est encore accentuée. »

Bon ! Il souffre ce garçon ! C'est en effet fort mal de la part des jeunes filles de jouer avec le cœur d'un garçon. Mais je suis sûre que celle-ci n'a pas joué la comédie pendant deux ans. Elle a d'abord été très flattée d'être aimée : puisqu'elle écoutait, c'est que cela la flattait. Elle avait une raison d'écouter, et d'être sérieuse, et de revenir ; elle était heureuse Et puis, elle a dû avoir peur d'elle-même ; peur d'aimer déjà. Quelle que soit la raison, il peut se dire qu'il n'est pas vrai qu'elle se soit moquée de lui pendant deux ans. Elle a fait cette provocation parce qu'elle ne savait plus comment se débrouiller avec sa propre gêne, la gêne d'avoir aimé et de ne plus aimer. Elle est à l'âge où l'on aime, et puis où l'on change d'avis. Mettons qu'elle se soit, peut-être, en effet, amusée un peu le dernier jour à lui faire du mal. C'est comme cela : les filles qui sont impuissantes à aimer, aiment agresser ceux qui les aiment. Les garçons font parfois la même chose.

Alors, jeune homme, ce qui est important, maintenant, c'est que d'abord vous vous fortifiez dans la vie de jeune homme, que vous fassiez du sport, des jeux collectifs ; que vous fréquentiez une maison de jeunes, que vous appreniez, si c'est possible, un art : jouer de la guitare, de la batterie, faire des grimaces, trouver des plaisanteries… Vous verrez que vous retrouverez là la possibilité de vivre en groupe – peut-être pas tout de suite celle d'aimer et d'être aimé ; mais vous reprendrez confiance en vous progressivement. Et puis, si vous n'y arrivez pas, vous pourrez parler avec un psychologue-psychothérapeute. Mais il y a encore du travail à faire. Vous n'avez que seize ans : c'est très bien d'avoir été vacciné, d'avoir viré votre cuti, si je peux dire, de la maladie d'amour.

Pour le moment, en tout cas, sachez que cette jeune fille ne s'était pas moquée de vous, même si elle vous l'a dit. Elle voulait se dégager de votre amour qu'elle sentait trop sérieux… Elle a été perdue et n'a plus su comment s'en tirer. Elle vous a fait du mal, c'est vrai ; mais elle aussi, certainement, a été émue pendant un temps par votre sincérité. Elle n'était pas faite pour vous. Allez, réagissez. Courage. Il y a d'autres jeunes filles !

Dans le courrier des jeunes, qui vous écrivent de plus en plus nombreux, il faut bien constater qu'il y a beaucoup de problèmes de cœur : or ce n'est pas le courrier du cœur que nous faisons ici, n'est-ce pas ?

En effet. Ce que je veux dire là-dessus, c'est que des chagrins d'amour, il faut bien en avoir un jour. Il faut bien commencer, je l'ai dit : « virer sa cuti ». L'amour est une maladie, tout le monde le sait, mais une maladie sans laquelle on ne peut pas vivre. Il faut donc l'avoir très tôt, et très tôt avoir appris à s'en guérir chaque fois qu'on en est atteint.

Ce qu'il y a de sérieux dans la recherche de l'autre ne se fait pas sous cette forme-là. Ça passe par là, certes, mais l'important est de travailler, d'acquérir la possibilité de se réaliser, de s'intéresser aux autres et pas à sa propre souffrance. On compte l'un pour l'autre, pas seulement parce qu'on s'aime, mais parce qu'on a des choses à dire, des choses à faire ensemble. C'est cela aimer vraiment ! Ce n'est pas du tout bêler qu'on voudrait se voir, que l'autre nous manque ; c'est préparer les rencontres pour qu'elles soient enrichissantes et qu'il ne s'y agisse pas uniquement de se regarder dans les yeux.

Se regarder, il faut le faire, bien sûr, ça fait partie de l'amour, mais il n'y a pas que cela. Ou sinon, de l'amour, il ne reste que la maladie, pas la santé, le renouveau, le rebondissement de la vie, les découvertes, la préparation de l'avenir.

Voilà. Moi, je suis plus intéressée par des jeunes qui disent les difficultés pratiques de leur existence. L'amour, ils s'en tireront probablement très bien. En tout cas, ce n'est pas moi qui pourrai les aider, si vraiment ils en sont trop malades ; là, une psychothérapie devient nécessaire.

Nouvelles lettres du mercredi

Je vous propose de répondre à quelques lettres de jeunes garçons et filles, des lettres du mercredi. Pour commencer, voici celle d'une fillette qui écrit : « Je suis orpheline de père, et mon frère me dit toujours que je suis maigre. Il invente même des chansons là-dessus. Or ce n'est pas vrai, je suis simplement un peu mince, et ça me chagrine beaucoup qu'il me dise cela. » Elle vous écrit, d'autre part, qu'elle a sept ans trois quarts et qu'elle a pu sauter la dernière classe de maternelle parce qu'elle savait déjà lire à cinq ans. Elle est dans un CE2 maintenant, avec des enfants plus âgés et plus forts qu'elle. Sa maîtresse actuelle a dix-neuf ans et est débutante. « Je regrette beaucoup, écrit-elle, ma maîtresse précédente, parce que, elle, au moins, me prêtait des livres et, une fois même, elle m'a prêté son livre de mathématiques pendant plusieurs jours. Maintenant, je n'ai plus d'amies et ça me rend triste. J'avais une petite amie que j'aimais beaucoup, mais elle est restée dans le groupe des enfants plus jeunes et moins forts, ce qui fait que je ne la vois plus, sauf au sport – parce que c'est la même maîtresse qui fait le sport à toutes les classes. Et puis, dernièrement, on a fait venir un professeur de gymnastique. On joue au football, au basket-ball… » Et ce professeur l'a grondée parce qu'elle n'était pas assez vive. Il lui a dit : « Tu sais tricoter ? Eh bien, tu ferais mieux de prendre des aiguilles et de la laine, et de tricoter maintenant ! » Et, elle vous demande : « Que faut-il faire si ce professeur revient ? »

Mademoiselle, je vous remercie beaucoup de votre lettre. Il faut vous consoler tout de suite. D'abord, vous êtes très intelligente – vous le savez –, mais il faut travailler cette intelligence. Pas seulement avec la tête et les études : il faut travailler l'intelligence du corps aussi. Ce professeur vous a peut-être un peu vexée en vous disant que vous n'étiez pas aussi bonne que les autres et qu'il vaudrait mieux faire du tricot que du football. Mais il l'a dit comme cela, vous savez, et il l'a déjà oublié. Vous, vous y pensez, lui ne sait même plus qu'il a dit ça. Quand il reviendra, si vous essayez de faire du mieux que vous pouvez avec le corps qui est le vôtre, il sera sûrement satisfait. Et n'oubliez pas que l'adresse du corps et l'adresse manuelle sont une intelligence aussi importante que l'intelligence scolaire et l'écriture… Vous avez une merveilleuse écriture, d'ailleurs !

N'oubliez pas non plus, pour avoir des livres, qu'il y a sûrement dans votre ville une bibliothèque qui accueille les enfants. Là, on vous prête tous les livres que vous voulez (il suffit d'apporter une quittance de loyer).

Maintenant, votre frère se moque de vous ? Mais, tous les frères se moquent de leur sœur ! Il est jaloux que vous soyez mince, parce que vous êtes élégante ! C'est tout. N'écoutez pas ce qu'il dit, ou écoutez-le et riez-en. Ne vous croyez pas une martyre pour cela. Vous avez assez de cordes à votre arc. Au revoir, mademoiselle.

Une lettre très importante, maintenant, une lettre toute rouge, qui nous vient d'un petit David.

Il a huit ans et il est judoka. Il me demande comment faire pour devenir musclé, parce qu'il a un ami qui le tape. Et, d'après ce que je pense, cet ami doit taper plus dur que lui.

Oui, certainement.

Alors, je me demande, David… Quand on fait du judo, on sait donner un croc-en-jambe. Et votre ami, qui est plus musclé que vous, n'est peut-être pas judoka. S'il l'est aussi, c'est grave. Mais je crois qu'alors vous pouvez avoir une ceinture supérieure plus vite que lui. En tout cas, il y a une chose que je vois dans votre écriture, c'est qu'elle descend sur un papier tout rouge. Vous devez être très en colère contre lui et vous sentir timide devant lui. D'abord, il faut lui faire des yeux brillants, brillants comme la colère. Ça va déjà l'impressionner Et puis, vous pourriez peut-être demander à votre papa, ou à un grand frère, ou à un oncle, comment donner des coups de poing formidables quand on n'est pas tellement fort apparemment Parce qu'il y a une façon de donner des coups de poing !

Surtout au judo, je crois.

Non, au judo, on n'en donne pas. Mais c'est pour un camarade qui tape, ce n'est pas au judo, il faut donc apprendre à donner des coups de poing à ressort. Les filles, ça ne sait pas les donner. Mais les garçons – moi, je me le rappelle, quand j'étais petite fille, j'avais beaucoup de frères – ça donne des coups de poing à ressort qui cognent à peine mais font très mal. Il n'y a que les hommes qui savent enseigner à donner des coups de poing comme ça. Vous, vous devez donner des coups de poing qui s'amollissent, qui font comme des gros ballons qui tombent dans le type. Et lui… boum, boum… Il faut apprendre. Vous avez sûrement des camarades forts qui vous apprendront. D'abord, il y a le croc-en-jambe, et puis, il y a les coups de poing de garçons.

Vous êtes vraiment pleine de ressources, Françoise Dolto ! En tout cas, je crois que le petit David doit être satisfait de la réponse.

Et puis, son camarade l'aimera encore plus après.

Vous croyez ?

J'en suis sûre. Quand un camarade en tape un autre… Pour les filles, c'est pareil d'ailleurs : quand elles sont tapées par un garçon, cela prouve qu'elles l'intéressent. Alors, il faut répondre ! Sinon, quand on ne répond pas à quelqu'un… Moi, je lui ai répondu aujourd'hui, hein ? Il faut qu'il réponde à l'autre aussi.

Un garçon de douze ans vous écrit : « J'ai une petite sœur de huit ans. Ma mère et mon père ont trente-huit ans. Voilà ce que j'ai envie de vous demander : est-ce qu'il faut permettre aux enfants de dire des gros mots ? Parce qu'il y a dans mon lycée un professeur qui, chaque fois qu'il nous entend en dire, nous donne une punition. Qu'est-ce que les parents peuvent faire quand ils entendent un de leurs enfants dire un gros mot ? Faut-il le punir ou le laisser dire [je vous lis intégralement la lettre parce que je la trouve absolument charmante], et après lui expliquer que ce n'est pas bien de dire des gros mots et que s'il récidive… » Il vous demande aussi s'il faut interdire ou non aux enfants de jouer avec des pistolets, des carabines, des pétards… et quelle influence cela peut avoir sur la vie future. Il signe : « Un fidèle auditeur X… » Il n'a pas ajouté qu'il vous veut du bien, mais on a un petit peu l'impression qu'il cherche à se renseigner pour ensuite aller dire à ses professeurs ou à ses parents : « Le docteur Dolto a dit que… »

Oui, c'est très étonnant, parce qu'il ne se met pas à sa place à lui.

En ce qui concerne les gros mots, je vais répondre à ce jeune garçon qu'il existe un proverbe français qui dit : « Comme on connaît ses saints, on les honore. » Or ce professeur de lycée, tout le monde sait qu'il ne supporte pas les gros mots et que, quand il en entend, il donne une punition. Et je me demande si vraiment les enfants n'aiment pas avoir des punitions, puisqu'ils ont l'air de continuer à dire des gros mots. Après tout, il y a beaucoup d'enfants que ça embête d'être toute la journée du mercredi à la maison et qui préfèrent avoir une punition et dire : « Ce maître, il est idiot de ne pas permettre qu'on dise de gros mots. » Je ne sais pas. En fait, on est au lycée pour apprendre à parler français. Les gros mots, on n'a pas besoin d'être au lycée pour ça. Quant à la maison, j'ai déjà conseillé aux parents qui étaient ennuyés de cette manie des gros mots, qui commence vers quatre ans, de demander à leurs enfants d'aller les dire aux cabinets. A vous aussi, jeune homme, je vous le conseille, quand vous avez vraiment des gros mots plein la bouche. Maintenant, il arrive que, tout à coup, un gros mot échappe (parce qu'on est tombé par terre, on a glissé sur une peau de banane, on a cassé quelque chose auquel on tenait…). Tant pis, ça échappe. On s'excuse auprès de ceux qui l'ont entendu. (Généralement, quand on dit le mot de Cambronne et qu'il y a des voisins, on dit : « Oh, pardon. ») Mais pour vous, est-il vraiment nécessaire de dire des gros mots ? Si oui, il faut réfléchir au problème et avoir toujours sous sa main un petit papier. Quand un gros mot veut sortir de la bouche, on l'écrit et on essaie de le faire sans faute d'orthographe. Il y a beaucoup de gros mots. Il faudrait tâcher d'en faire la liste. C'est très amusant d'en savoir des tas. D'ailleurs, il faut les connaître, sans ça, on est idiot. Mais il ne faut pas les dire, sauf quand on est entre camarades et qu'on est sûr qu'il n'y a pas d'adultes pour vous écouter. Parce que des adultes qui diraient : « Mais je vous en prie, mes enfants, parlez avec des gros mots, c'est si joli », je n'en connais pas.

Pour la question des pistolets, des fusils, etc., je crois que les enfants ont besoin de jouer à la guerre, parce que les adultes trouvent les armes tellement intéressantes qu'ils en font des défilés les jours de fête et que tout le monde vient voir et applaudir ces défilés d'armes de plus en plus dangereuses. Un fusil de bois, un pistolet pour rire, ce n'est pas très dangereux et ça permet de jouer au dur. Moi, je n'ai pas d'opinion sur la question. Mais il y a des parents qui en ont. Les parents sont comme ils sont et, quand on a choisi les siens, il faut s'y faire. Vous, quand vous serez père, jeune homme, vous ferez comme vous voudrez ! Et c'est à vous de me dire si vous croyez que les camarades qui n'ont pas de jeux guerriers sont plus humains et plus civilisés que les autres. Moi, je n'en sais rien. Les jeux guerriers, c'est une affaire de petits ; plus tard, on aime les arts martiaux comme on dit – qui sont des jeux avec des règles et qui demandent une maîtrise de soi-même –, comme le karaté, le judo et les autres jeux de maîtrise du corps et d'armes. Vous êtes déjà, d'après votre écriture, à l'âge de vous intéresser à ces jeux avec des règles – à un art donc, puisque ça l'est.

Voici une fillette de douze ans : elle a été adoptée légalement par sa tante et son oncle ; elle sait que sa mère, qui ne l'a jamais abandonnée, est la sœur de sa mère adoptive. Mais elle ne sait pas le nom de son père et voudrait le connaître. Sa tante ne s'y oppose pas mais dit que ça ferait trop de peine à sa mère si elle le lui demandait. Elle voudrait un conseil.

Votre mère a besoin que vous lui disiez que vous l'aimez et que vous lui êtes reconnaissante de vous avoir permis d'être, dès l'âge de quinze jours, élevée chez sa sœur et son beau-frère et de devenir leur fille adoptive, puisque elle-même ne pouvait pas vous élever. Je crois que c'est inutile de lui faire une peine supplémentaire, en tout cas actuellement. Peut-être, plus tard, arriverez-vous à savoir qui était votre père, mais je me demande si c'est nécessaire, étant donné que cet homme ne s'est pas occupé de vous. Votre mère vous a confiée à sa sœur pour des raisons financières, dites-vous. Elle a eu du courage, car il y a beaucoup de mères qui, pour ces mêmes raisons, auraient peut-être donné leur enfant à adopter à quelqu'un qu'elles n'auraient pas connu. C'est difficile ce qu'elle a fait, et vous pouvez lui en être reconnaissante, parce que vous avez votre vraie famille comme famille adoptive.

Elle vous demande aussi si les difficultés de mémoire peuvent être héréditaires, car on lui a dit que sa mère de naissance a des difficultés psychiques.

Non, ce n'est pas héréditaire. D'ailleurs, votre lettre montre que vous n'avez aucune difficulté psychique, même si vous avez des difficultés de mémoire. Or la mémoire, ça se travaille, et vous pouvez travailler la vôtre : par exemple, vous faites une liste de mots que vous écrivez les uns après les autres, et vous jouez à les retenir ; vous les dites tout haut et vous vérifiez ensuite si vous en avez sauté. Quand vous les savez tout à fait bien, vous attendez deux ou trois jours, et vous reprenez la liste. Je crois que si vous travaillez votre mémoire, vous vous en sortirez très bien. Il ne faut pas vous décourager.

Une lettre, maintenant, d'un garçon de dix-sept ans qui a été extrêmement éprouvé au point de vue physique. Jusqu'à l'âge de neuf ans, il était heureux de vivre, gai. Et puis, sa vie est devenue un cauchemar : il a eu une maladie physique dont on n'a pas trouvé la cause et à la suite de laquelle il a subi de nombreux examens très douloureux. Ensuite, il a dû être opéré. Maintenant, il a toujours des difficultés physiques et surtout un retard et une chétivité qui le font souffrir parce que ses camarades se moquent de lui (on l'appelle même « mademoiselle »). Au point de vue scolaire, il n'a que deux ans de retard – ce qui est peu étant donné tout ce qu'il a souffert –, mais la vie à l'école lui est insupportable. Il écrit : « Je ne me supporte que dans ma famille, pas dans la société. » Et il vous pose la question : « Suis-je un inadapté ou suis-je resté traumatisé par cette maladie qui m'a tant éprouvé ? Comment reprendre confiance en moi ? »

Vous avez déjà en partie trouvé la solution, puisque vous écrivez, dites-vous, des contes, des nouvelles, des poèmes : il faut continuer ; et s'il vous est vraiment impossible de fréquenter vos camarades, peut-être pourriez-vous obtenir l'autorisation de suivre les cours du lycée par correspondance. Mais attention : si vous le faites, il faut tout de même, absolument, que vous fréquentiez d'autres garçons et d'autres filles – dans des ateliers par exemple, ou des centres de jeunesse. A votre âge, vous le pourriez. Maintenant, vos parents

accepteraient-ils ? C'est à voir. Mais surtout, ne vous décou-
ragez pas. Deux ans de retard, ce n'est rien. Et dites-vous
que quelqu'un qui a souffert comme vous et qui a déjà
trouvé une voie de sublimation (comme nous disons en psychanalyse) dans la création littéraire n'est pas perdu. Vous
avez un retard, mais vous allez certainement grandir, vous
développer. Tant pis pour ceux qui n'aiment pas qu'on ne
soit pas comme eux à leur âge. En tout cas, je peux vous le
dire, vous n'êtes en rien un anormal. Vous êtes momentané-
ment inadapté à la vie des garçons de votre âge, à cause de
ce long traumatisme. Si vous habitez près d'une ville où il y
a des consultations médico-pédagogiques, vous pouvez très
bien y aller. Même si c'est un centre pour enfants jusqu'à
quinze ans, je suis sûre que vous trouverez quelqu'un pour
parler avec vous et vous indiquer un autre centre où l'on
vous acceptera comme jeune adulte ou comme adolescent
prolongé, bien que vous ayez dix-sept ans. Vous êtes à l'âge
du tournant où certaines consultations se terminent, alors que
les autres commencent à seize ans. Mais ne restez pas à vous
désespérer Il n'y a pas de quoi.

Psychothérapie, psychiatrie, rééducation, psychanalyse[1]

Une institutrice vous pose une question qui me semble très intéressante : « Vous conseillez quelquefois aux parents de chercher dans leur région un centre de psychothérapie... Pourriez-vous expliquer la différence qu'il y a entre psychothérapeutes, psychanalystes, psychiatres et rééducateurs, peut-être avec des exemples, de façon que ceux à qui vous donnez ces conseils n'aient pas une espèce de peur du vide. Quand, par exemple, on va s'adresser à un psychanalyste, on ne sait pas très bien à qui on a affaire, ce qui va se passer dans son cabinet... »

Essayons.

Quand on sent qu'on ne va pas bien, on va voir un *médecin*. Il examine le corps et, s'il n'y a pas de maladie décelable, il cherche du côté de la vie familiale et sentimentale ou du travail. Cela, s'il a le temps ; sinon il ordonne un médicament qui estompe les malaises sans cause décelable dont se plaint le malade. Si le médecin s'aperçoit que le malade présente un jugement déformé, un ralentissement de la pensée, une fuite des idées, qu'il fabule, qu'il est excité

1. Les chapitres intitulés « Psychothérapie, psychiatrie, rééducation psychanalyse, » et « ce qu'on *doit* faire à cet âge » abordent des questions auxquelles des dialogues minutés ne permettraient de répondre que de façon succincte. Aux parents qui cherchent éclaircissement, on a tenté ici de fournir une exposition beaucoup plus développée. Le lecteur peut aussi lire : S. Leclaire, *Psychanalyse* ; D. Vasse, *L'Ombilic et la Voix* ; F. Dolto, *Psychanalyse et Pédiatrie* ; *Le Cas Dominique* ; et pour la rééducation : A. Muel et F. Dolto, *L'Éveil de l'esprit chez l'enfant*.

ou déprimé, s'accuse d'actes imaginaires, déclare mériter la mort ou fait d'un de ses proches l'objet de son délire ; et si le médecin croit que le malade n'est plus responsable d'actes pouvant mettre sa vie en danger, ou encore qu'il risque de commettre – du fait de son excitation, de sa conviction d'être persécuté – un acte agressif, dangereux pour autrui, il conseille au patient ou à sa famille – au cas où le malade est hors d'état de comprendre la crise dont il est la proie – de consulter un psychiatre.

Le psychiatre a une expérience qui lui permet d'apprécier la gravité de la pathologie mentale. Il examine l'état neurologique du malade. Il prescrit, si cela suffit, des médicaments chimiques efficaces pour apaiser les troubles. Il juge si le malade peut, sans risques pour lui ou pour les autres, rester dans sa famille, ou s'il est plus prudent de le mettre au repos sous surveillance. Dans le dernier cas, il indique l'hôpital ou la clinique psychiatrique. Là le malade peut être mis en observation, au repos, tout en fréquentant les autres malades et le personnel soignant ; ou, si nécessaire, on recourt à l'isolement, à la cure de sommeil, etc.

Le psychiatre, en sus de la prescription de médicaments, conseille parfois une psychothérapie, qu'il conduit lui-même ou dont il charge un autre. Ainsi, aidé à la fois par le repos, la séparation de son milieu habituel, l'arrêt d'un travail surmenant et la chimiothérapie, le malade peut reprendre contact, entrer en relation avec le psychiatre ; la psychothérapie l'aide à critiquer son état et à recouvrer son équilibre perdu.

Bon, voilà pour les psychiatres. Et maintenant, les psychologues ?

Il y a des psychologues partout où des gens vivent ensemble : au travail, à l'école, à l'hôpital, dans les prisons. Les psychologues font passer des tests pour apprécier les aptitudes de ceux qu'ils ont à examiner : l'intelligence, l'habileté manuelle, la sensibilité, la résistance à la fatigue, etc. Il y a aussi des tests de la personnalité, du caractère. Les psycho-

logues s'occupent surtout de la population saine. Il y en a qui
se consacrent plus particulièrement à la population enfantine,
saine ou handicapée : pouponnières, crèches, écoles, groupes
de jeunes ; d'autres à l'orientation scolaire et professionnelle ;
d'autres au troisième âge. D'autres sont spécialisés en psychologie pathologique : ceux-là se dirigent vers les hôpitaux
psychiatriques et les consultations spécialisées.

*Quand on dit aux parents d'aller consulter un psycho-
logue, alors c'est pour quoi ?*

C'est pour que soit fait un examen par tests qui aidera à
comprendre les difficultés de l'enfant ; à la suite de quoi,
par exemple, le psychologue pourra conseiller les maîtres,
les parents et l'enfant qui a des difficultés.

Mais il y a des psychologues qui font des psychothérapies ?

Oui, ceux qui ont été formés à cette fin et qui ont des
contacts faciles avec tous les enfants.

Cela nous ramène à : qu'est-ce qu'une psychothérapie ?

C'est une suite d'entretiens : on parle, le psychothérapeute
écoute, met en confiance, permet d'exprimer ce qui ne va pas
pour un sujet dans ses « états d'âme » et dans ses relations
avec autrui. Quand on peut se confier à quelqu'un, quand on
est sûr de sa discrétion, ça aide.

Mais il y a des psychothérapies qui ne réussissent pas…

C'est généralement que le sujet, l'adulte ou l'enfant,
n'avait pas envie de sortir de sa difficulté, ou que le psychologue lui était antipathique – cela arrive. La confiance,
la sympathie, la discrétion et l'envie de se sortir de sa difficulté sont nécessaires.

*Vous parlez souvent de psychothérapie psychanalytique
ou de psychothérapie simple. Quelle est la différence ?*

La différence vient de la formation du psychothérapeute, selon qu'il a ou non lui-même été psychanalysé. On peut faire une psychothérapie simple ou de soutien avec un médecin, un psychiatre, un psychologue, qui sait mettre en confiance, relancer la parole, aider à l'expression de ce qu'on a sur le cœur. Mais on ne peut faire une psychothérapie psychanalytique qu'avec un interlocuteur psychanalysé, formé à l'écoute de l'inconscient, de ce qui se passe et s'exprime à notre insu en même temps que nous parlons. Apparemment, le processus de la psychothérapie est le même, mais un psychothérapeute qui a été psychanalysé permet – par son attitude – que remontent à la surface et s'expriment des problèmes plus profonds, plus anciens, chez le patient.

Quelle différence y a-t-il entre une psychothérapie psychanalytique et une vraie psychanalyse – puisque, pour l'une et l'autre, le soignant est formé par une longue psychanalyse personnelle?

Ce n'est pas la même méthode. Pour partir du plus visible : la psychothérapie se passe face à face ; le patient et son soignant parlent, tous les deux, le patient généralement plus que le soignant qui intervient pour faciliter l'entretien, aider le sujet à s'exprimer. Une psychothérapie est – pour aller un peu plus loin dans la différence – beaucoup moins longue, moins astreignante qu'une psychanalyse. Et surtout, le but est directement thérapeutique. On n'évoque que ce qui ne va pas actuellement pour le comprendre et sortir de la difficulté : on n'évoque pas *tout* ce qui vient à l'esprit. La psychothérapie vise plutôt les troubles conscients, la relation avec les proches, la réalité actuelle, et comment y faire face. Elle opère plus en surface et plus vite. Elle est souvent suffisante pour retrouver un équilibre viable, reprendre confiance, repartir du bon pied, sortir d'une période difficile dont on ne se serait pas sorti seul.

Dans une psychanalyse, le patient est sur le divan, il ne voit pas le psychanalyste qui reste silencieux. Il s'agit, pour le patient, de dire tout ce qu'il pense et ressent. L'expérience montre qu'à travers la relation imaginaire du psychanalysant avec le psychanalyste et les rêves dont il lui parle, il revit inconsciemment ses expériences passées en remontant son histoire. C'est comme une aventure au bout de laquelle on est moins fragile psychiquement, si je puis dire. Dans une psychanalyse, on évoque les souvenirs les plus anciens, ceux qu'on avait totalement oubliés. C'est une sorte de reviviscence de toute la vie – amour, haine, méfiance, confiance, etc. – autour de la relation imaginaire au psychanalyste. C'est souvent éprouvant ou angoissant et c'est un travail long, où il ne s'agit pas directement de soigner.

Quand et à quel âge, alors, une psychothérapie est-elle indiquée ?

Il n'y a pas d'âge où une psychothérapie ne puisse aider quelqu'un qui désire améliorer ses relations à lui-même et aux autres.

Chez le bébé, il ne faut pas attendre lorsqu'on s'aperçoit que la communication est rompue avec la mère, ou entre cinq et vingt mois avec les deux parents, surtout si la communication n'est pas excellente hors de la maison et avec les autres membres de la famille. Même chose, à partir de trente mois, quand l'enfant craint le monde extérieur et ceux de son âge, au lieu d'être attiré par eux alors même qu'il se sent en sécurité à la maison ; quand il s'ennuie ou est instable, ne sait pas jouer.

A l'âge scolaire, quand l'enfant échoue, prend l'école en grippe, ou quand il prend en grippe tout le reste des activités de son âge, le travail scolaire excepté.

A partir de huit ans, quand l'enfant ne se fait pas d'amis, ne sait pas s'occuper à la maison, n'aime pas jouer dehors, boude ses parents ou ne peut, au contraire, vivre loin d'eux.

A la puberté, quand le jeune reste enfantin, fuit les camarades, filles et garçons, ne se plaît qu'avec papa-maman.

A l'adolescence, quand il ne cherche pas d'autres adolescents, est muet avec ses parents, mal dans sa peau.

Jeune adulte, quand, après un bon départ qui faisait bien

augurer de la suite, la vie sentimentale et sexuelle n'arrive plus à s'accorder sur les mêmes partenaires, quand le sujet se sent lui-même en échec, que la vie lui fait peur.

Adulte, quand il souffre de soi, des autres, croit seulement faire souffrir les autres, ou les fait souffrir réellement par son caractère. Bref, quand des conflits interrelationnels douloureux gâchent l'existence alors que par ailleurs on aurait tout pour être heureux.

Adulte mûr, quand – les enfants devenus grands – la vie personnelle, sentimentale, culturelle, sexuelle n'a plus d'attrait, qu'on ne parvient pas à vivre sans voir sans cesse ses enfants devenus adultes, qu'on ne supporte plus son conjoint et ne trouve pas de compensations dans des relations en société.

Agé, quand les épreuves de la vieillesse accaparent toute l'attention, replient sur lui-même un sujet qui ne cherche pas toutes les possibilités de fréquenter les autres. Et quand l'approche de la mort angoisse.

C'est en somme la perturbation récente de la vie de relations qui est l'indication des psychothérapies.

A votre avis, les indications des psychothérapies sont donc très nombreuses?

En effet. Et ce qui est très regrettable, c'est de voir un enfant arriver deux ou trois ans après que ses parents aient reçu le conseil d'une psychothérapie : entre-temps il s'est enlisé dans des difficultés, au début occasionnelles, qui ont gâché sa vie affective et sociale, entraînant des effets secondaires, des sentiments d'échec qui, selon les cas, ont débouché sur la révolte, la dépression, un retard affectif important ou une névrose qui désormais sera longue à traiter, et seulement par une psychanalyse.

Cela ne vient-il pas, justement, de ce que les parents ne savent pas de quoi il s'agit quand on leur parle de psychothérapie, et qu'ils se méfient?

Certainement. Cela tient peut-être aussi à nous, les divers « psy ». Nous n'expliquons pas assez aux parents le sens de ces difficultés qui se sont installées dans la relation de l'enfant à lui-même, à eux, à l'école ; le sens des barrages inconscients dont il est victime ; nous n'expliquons pas assez qu'aucune bonne volonté de sa part, aucune pédagogie spéciale, aucune attitude éducative de la part des adultes ne peuvent modifier la situation. Une situation où, contrairement à ce que pensent certains, il n'y a pas à chercher la « faute » – une mauvaise compréhension parents-enfants, oui, parfois.

Mais il y a aussi des échecs de la psychothérapie, et c'est cela qui fait hésiter les parents.

Écoutez. La psychothérapie échoue rarement et pas autant, de loin, que des parents pusillanimes le disent ou le croient. Mais bien sûr, il y a une condition, il faut qu'on n'ait pas attendu. Et que ce soit celui qui est inquiet de la situation, qui est conscient d'en souffrir, qui suive une psychothérapie.

Bien des enfants présentent des troubles qui angoissent leur entourage, mais pas eux. C'est alors le père et la mère – les deux, ou l'un des deux – qui, par leur propre psychothérapie, sauront aider l'enfant et le préparer à recourir à une aide tierce, si c'est encore nécessaire.

D'autre part, on voit de grands enfants, des adolescents, être conscients de leur détresse psychologique, étouffés dans une névrose déjà organisée ou en cours d'organisation (parfois de très bons élèves, d'ailleurs) sans que leurs parents aperçoivent leur souffrance ; et le jour où, par de graves symptômes, la névrose se manifeste, ces parents-là s'affolent, se sentent coupables…

Dans les cas de difficultés caractérielles, les parents se sont souvent braqués contre l'enfant et, quand on leur parle de psychothérapie, ils voudraient un résultat magique en quelques séances. Ils ne font confiance ni à leur enfant ni à celui ou celle qui s'occupe de lui et que l'enfant est heureux de voir… Ils souffrent qu'une tierce personne obtienne la confiance de leur enfant et – bien qu'heureux d'une amélioration – ils font cesser la cure dès que les troubles de l'enfant ne leur font plus honte à eux, ou ne les angoissent plus : mais c'est alors trop tôt. Ils n'aident pas leur enfant à persévérer. Plus même : certains souffrent de constater le résultat, qu'en imagination ils espéraient mais sans se rendre compte qu'il s'accompagnerait nécessairement d'une maturation de leurs fils ou fille, advenant à une prise en charge de ses responsabilités par lui-même. Il se porte bien, a retrouvé ses capacités d'échanges, exprime des désirs personnels. C'est le signe de sa guérison, mais les parents sont déroutés et ne savent plus quoi être devant cet enfant libéré d'une dépendance puérile à leur égard. Ils se font alors les détracteurs de la psychothérapie auprès des autres parents, à tort, car leur enfant s'en est sorti, lui.

Ajoutez que, même dans les cas où les parents n'ont rien à débourser (la Sécurité sociale prend en charge les consultations psychologiques des enfants), ou peut-être à cause de cela, des parents qui n'ont pas « choisi » le thérapeute éventuel de leur enfant s'estiment exclus de leur rôle légal et naturel, privés de responsabilités tutélaires. Ils voudraient seulement être aidés, recevoir des conseils, alors que cela, qui eût suffi peut-être pour rétablir leurs relations à l'enfant quand les difficultés étaient à leur tout début, n'a plus aucun sens maintenant. Le thérapeute n'a aucun conseil éducatif à donner aux parents. Son rôle à lui est de permettre à l'enfant de se comprendre et d'utiliser au profit de son développement les tensions qu'il rencontre. Il faut donc que les parents continuent de remplir leur rôle éducatif et non qu'ils démissionnent, comme on en voit le faire dès que l'enfant est en psychothérapie. Il n'y a pas de vie de groupe, donc pas de famille ni d'éducation (ratée ou réussie) sans tensions. Une psychothérapie peut justement aider l'enfant qui se débarrasse de ses angoisses à réagir de façon positive aux tensions qu'il rencontre en famille ou en société.

Donc, si les parents font confiance à leur enfant et à la psychothérapie, s'ils soutiennent leur enfant dans les moments d'angoisse inévitable à ce genre de traitement, s'ils persévèrent eux-mêmes dans les moments où ils doutent, ils seront récompensés. Combien de lettres de parents nous le disent, de ceux qui ont vu les résultats de la psychothérapie ! Mais, bien sûr, ce n'est pas de la magie, et pas de la « morale » non plus. Bien se développer ne veut pas toujours dire être facile à vivre !

Il n'y aurait pas d'échec si les psychothérapies étaient engagées par qui souffre, et à temps, dès qu'il s'en rend compte. C'est cela que vous voulez dire ?

Oui, c'est cela. Les échecs, s'il y en a, viennent d'une mauvaise mise en route de la psychothérapie, côté enfant ou côté parents. Parfois, l'enfant s'est senti poussé, obligé de subir une psychothérapie pour laquelle il n'est pas motivé, ne souffrant pas ou pas encore, lui, des troubles observés par son entourage. Ce sont des adolescents qui m'écrivent : « J'ai fait deux ou trois ans de psychothérapie, quand j'étais enfant, qui n'ont servi à rien… Je ne comprenais même pas pourquoi j'allais dessiner chez une dame – ou chez un monsieur –, et puis on a arrêté. » Visiblement, dans de tels cas, l'enfant n'était pas demandeur. La psychothérapie n'a pas échoué, elle n'a pas commencé. Enfant, parents, thérapeute ont perdu leur temps. Ces parents (ou la Sécurité sociale) ont dépensé de l'argent inutilement.

Parfois l'échec vient des parents. L'enfant était très motivé et n'avait personne à qui se confier. La psychothérapie a démarré très bien mais, par suite de l'incompréhension de ses parents, elle s'est bloquée : ils ont cessé de conduire un enfant habitant trop loin pour aller seul à ses séances, ou bien, de façon sourde, ils l'ont culpabilisé d'avoir besoin de quelqu'un d'autre que ses père et mère, de ne pas leur raconter ce qui se passait en séance, etc. La jalousie des parents, cela existe, hélas ! Elle fait échouer la psychothérapie et c'est l'enfant qui lâche, s'effondre, plus gravement cerné par ses symptômes qu'avant.

Mais l'échec peut venir du psychothérapeute, non ?

C'est rare, très rare. Car ce n'est pas lui qui fait le travail. Il assiste celui qui veut s'en sortir, l'aide à tout lui dire de ce qui ne va pas. Non, si en quelque chose le psychothérapeute est parfois complice de l'échec, c'est quand il accepte un enfant non motivé ou un enfant dont les parents n'ont pas compris de quel travail il était question. Mieux vaut surseoir, attendre une demande authentique, non téléguidée par l'école (la peur que l'enfant soit renvoyé) ou par un « docteur ». Rester à la disposition, sans plus. On n'achète pas, on ne subit pas une psychothérapie. Parents et enfant doivent y collaborer.

Quand le patient est personnellement motivé, il n'y a pas d'échec en psychothérapie ?

Non, en tout cas, pas à court terme ; parfois, à long terme, on s'aperçoit que les troubles ont disparu mais sont remplacés par d'autres, d'origine plus ancienne, ou encore qu'ils réapparaissent. Ce n'est pas un échec. La psychothérapie a ses limites. On travaille sur la réalité actuelle et surtout dans la vie consciente.

Dans ce cas, il vaudrait mieux une psychothérapie psychanalytique ?

Oui, puisque le travail y évoque ces angoisses historiquement anciennes qui sont réapparues récemment. Et il peut même être nécessaire de recourir à une vraie psychanalyse.

Dans quel cas donc faut-il recourir à une psychothérapie psychanalytique, c'est-à-dire conduite par un interlocuteur psychanalysé ? Et dans quel cas à une psychanalyse vraie ?

Dans tous les cas où, consulté pour des difficultés, un médecin, un psychologue, un psychiatre ou un praticien psychanalyste, après avoir étudié le cas en question, en donnent le conseil ; mais encore plus si une psychothérapie, sérieusement suivie pendant quelques mois, ne produit aucune amélioration alors que le patient, ses parents et le psychothérapeute la désirent authentiquement.

Je vous l'ai dit : dans une psychothérapie, on aborde les conflits récents, les difficultés actuelles et conscientes, et souvent cela suffit (surtout si le milieu éducatif est favorable), mais il y a des cas où, au cours de la psychothérapie, sous les apparences de conflits récents, apparaît une névrose structurée depuis très longtemps. L'apparente réussite du sujet, vue du dehors, cachait en fait des symptômes très graves, datant du début de la vie sexuelle ou de la relation affective, ignorés de l'entourage et de ce fait même supportés jusque-là par le patient. La psychothérapie l'a aidé à sortir d'une crise aiguë déclenchée par une situation occasionnelle, c'est déjà cela. Mais, en ce cas, ce peut être insuffisant. Seul un travail en profondeur peut l'aider vraiment.

Je m'aperçois que je n'ai pas parlé de la psychanalyse appliquée aux enfants. C'est toujours une « écoute » de l'inconscient, mais, avec les enfants, la technique n'est pas seulement le recours à la parole. C'est aussi par le dessin, le modelage, la mimique expressive, que l'enfant fait comprendre ce qui, de son passé (« déjà »), lui fait un barrage inconscient que ni technique ni bonne volonté ne peuvent vaincre.

Bon, cela me paraît clair maintenant. Troubles récents : psychothérapie, dès qu'elle est conseillée. Troubles anciens, et surtout dans un milieu lui-même perturbé ou perturbant où les mêmes angoisses sont répétées dans des situations elles-mêmes provoquées de façon répétitive par le sujet : psychothérapie psychanalytique ou psychanalyse.

Ajoutez que ce n'est pas le sujet qui décide, ni le psychanalyste, mais les deux ensemble. Il faut que le sujet ait de sérieuses motivations, la disponibilité de temps (et argent), bref, que les conditions pratiques d'une psychanalyse puissent être réunies par le sujet, compte tenu aussi des responsabilités auxquelles il s'est engagé : je le répète, une psychanalyse, c'est un chemin ardu pour assumer avec lucidité sa responsabilité humaine. Elle n'a pas un but directement thérapeutique. Elle nécessite une disponibilité que l'on n'a pas toujours, dans toutes les situations et à tout âge. La psychanalyse ne doit absolument pas être confondue avec une psychothérapie. J'espère l'avoir bien fait comprendre. Elle n'a pas les vastes indications de la psychothérapie.

Et, beaucoup plus modestement, la rééducation ?

Il s'agit de récupérer une fonction perdue ou dont on n'ose pas, ou plus, se servir. On ne peut pas rééduquer une fonction qui n'est pas là, une fonction qui n'a jamais été acquise ni éduquée, ni une fonction qu'on n'a pas envie d'utiliser. C'est pour cela que de nombreuses rééducations, du langage, de la motricité, par exemple, échouent ; parce qu'on a voulu mettre la charrue avant les bœufs. Quand la rééducation échoue, c'est qu'elle aurait dû être préparée par une psychothérapie.

Quand l'enfant est petit, la mère ou le père doivent être présents aux séances de rééducation, afin d'établir ou de rétablir la communication de langage et de motricité avec l'enfant, la rééducatrice y aidant. Les parents et l'enfant doivent se sentir en confiance et en sympathie avec la rééducatrice. Les séances doivent être agréables.

Quand une rééducation est-elle indiquée ?

Pour un enfant ?

Oui. Beaucoup de parents écrivent que leurs enfants parlent mal, bégaient ou sont maladroits, dysorthographiques, dyscalculiques. Ont-ils besoin de cette rééducation dont on a entendu parler ?

Les rééducateurs sont des personnes formées pour aider un enfant par une technique très précise et qui vise une difficulté *instrumentale*, seulement instrumentale. Par exemple, pour un enfant qui ne parle pas bien avec sa bouche, mais s'exprime très bien par le geste et par les yeux, qui joue très bien, qui est vivant, qui veut communiquer et n'y arrive pas, il est possible qu'une rééducation suffise. Mais très souvent, pour les rééducations touchant à la parole comme à la psychomotricité, à la lecture, à l'écriture, à l'orthographe, au calcul, les rééducateurs bien formés s'aperçoivent, au bout d'un temps, qu'ils arrivent à un palier que l'enfant ne peut pas dépasser. A ce moment-là, ils demandent aux parents d'aller voir un psychanalyste, de penser à une psychothérapie psychanalytique. Il est dommage qu'elle n'ait pas été entreprise avant la rééducation, mais mieux vaut tard que jamais. Ce n'est pas une raison pour abandonner la rééducation comme on le fait trop souvent alors, surtout si l'enfant aime la personne qui la conduit et s'il est très désireux de sortir de son état d'impuissance instrumentale, de parler, de « gestuer », de devenir habile, d'écrire ou de calculer correctement. On ne devrait suspendre une rééducation que si l'enfant ne veut plus y aller. Une rééducation n'est pas une psychanalyse ; elle peut être rendue possible, aidée, par la psychanalyse. La psychanalyse d'enfant n'est pas une rééducation : c'est un travail qui remonte aux premières émotions de la vie en les revivant sur la personne du psychanalyste et en retrouvant surtout les raisons symboliques des barrages à l'intelligence, à l'affectivité, à la communication. Bref, ce qui est psychanalytique est tout à fait différent de ce qui est en question dans les techniques pédagogiques et les méthodes d'acquisition ; mais ce n'est en rien contradictoire, si l'enfant lui-même désire vaincre sa difficulté instrumentale, s'il y est fortement motivé consciemment, s'il a développé une bonne relation avec la rééducation et sa méthode.

Il y a donc des échecs de la rééducation ?

Mais oui, il faut l'admettre, de même qu'il y a des échecs partiels de la psychothérapie, de la psychanalyse. Il y a des souffrances morales, affectives ou intellectuelles pour lesquelles il n'y a pas encore de solution.

Ce qu'on *doit* faire à cet âge

(De fausses normes)

Une lettre vous pose une sorte de question de cours – je sais d'ailleurs que ça vous énerve… enfin, « énerve » entre guillemets…

Oui.

C'est une mère qui vous demande très en détail quelles sont les acquisitions qui se font dans les premières années de vie d'un enfant. On a l'impression qu'elle doit observer un peu ses enfants.

Oui, « un peu », comme vous dites ! Ces mères aux yeux rivés sur le corps de leur enfant, sur ses « performances », moi, ça me choque toujours ! Et ces observations minutées : tel jour « bébé » fait ceci, tel jour « bébé » fait cela. On dirait un rapport de psychologie expérimentale. Il y a des mères comme celle-là qui observent, sont aux aguets, pour un rien inquiètes. Est-il normal qu'une incisive apparaisse tel jour, en haut, pas en bas ? Normal ceci ou cela ? On dirait que cette femme ne fait que cela, observer et noter dans son cahier ! Quelle énergie lui reste-t-il pour être femme ? Jamais question du père, ni des autres personnes ni d'elle-même, de ce qu'elle ressent pour son enfant qui a crié deux heures de suite entre cinq heures et sept heures de tel mois à tel mois. Elle ne dit pas un mot de ses mimiques, de ce à quoi il sourit, de ce qui le fait pleurer, ni du caractère qui se dessine, de ce qu'il aime et n'aime pas. Elle parle de son poids mais pas des traits de son visage, de la couleur de ses yeux ou de ses cheveux… S'il ressemble à son père, à ceux de la famille paternelle ou à elle et aux siens, on ne sait rien de son caractère à elle, de celui qu'elle a choisi pour être le père de son enfant. On ne sait rien du cadre de leur vie, de ceux qui les entourent elle et son « bébé », de ceux qui l'aiment et qu'il aime, ni si elle le porte, le berce, le promène, lui parle. Ni ce que sont son plaisir à elle et leur complicité quand elle lui donne ses biberons, le change, le baigne. Que leur reste-t-il, à elle et à lui, pour la tendresse, les rires, la joie ? Et quand le père de l'enfant est là, qu'en est-il de leur bonheur d'être parents, et de voir dans cet enfant qui vit le sceau charnel d'une union qui a invité à naître un troisième ? Qu'en est-il des espoirs de chacun d'entre eux dont l'enfant est porteur ? C'est tout cela que l'enfant perçoit ou « intuitionne », et qui est pour lui les vraies « acquisitions ».

Seriez-vous fâchée, Françoise Dolto ? Vous le paraissez !

Fâchée, non, mais ça m'attriste. Que des psychologues scientifiques fassent de telles observations sur des enfants qui ne sont pas les leurs, les mettent sous la caméra de leur regard quand ils les observent (et heureusement ce n'est pas tous les jours, et l'enfant ne les aime pas comme ses mère et père), ça fait avancer la science du mammifère humain, comparé aux autres espèces. Mais une mère ! ou un père !

C'est mauvais pour l'enfant ?

Oui, ça le fait devenir une chose, cette observation et ce jugement continuels.

Mais alors, vous ne voulez rien répondre à cette mère sur les acquisitions des premières années de la vie ?

Ce que je veux dire, c'est qu'un enfant, dès sa naissance (et même avant), est un être sensible inconsciemment à ce qu'il ressent de l'inconscient de ceux qui vivent avec lui et qui l'approchent.

Ça veut dire quoi ?

Ça veut dire que l'être humain est un être de langage, de communication, sensible à tout ce qu'il perçoit d'un autre : son humeur, son odeur, ses rythmes moteurs, sa voix, et qu'il éprouve l'amour ou l'indifférence qu'on lui porte, la place qu'on lui donne, le respect qu'on a pour sa vie et pour ce qu'il exprime. Si on le traite en objet, en tube digestif, en appareil moteur, et non en être humain qu'on aime et qui aime, il devient – au fur et à mesure de sa croissance – un robot fonctionnant quand son maître l'ordonne. L'enfant est déjà un sujet, il a des désirs et pas seulement des besoins. Il n'est pas « bébé », il a un nom qui l'attache à une lignée, un prénom qui a été choisi pour lui, qui est le sien, autour duquel tourne toute sa vie de relation avec ses parents et ses proches, complices ou non de ses joies et de ses peines ; et il a l'intuition, si ce n'est pas encore l'intelligence consciente du sens vrai de la relation des autres avec lui, surtout pour ce qui concerne sa mère, son père, la nourrice de laquelle sa vie dépend. Tout cela s'enregistre et marque de langage son être tout entier.

Cela dit, les acquisitions ?

Tout est acquisition, du cœur, de l'esprit, de l'intelligence, conjuguée à la croissance physique qui est formidablement rapide jusqu'à trois ans. Cela ne se « voit » pas, ne peut pas directement se « tester ». L'enfant « fait avec » ce qui lui est donné au mieux de sa nature de départ. Il s'accommode. Tout ce qu'il perçoit de ceux de la vie desquels dépend la sienne dès la grossesse et jusqu'à six, huit ans se lie à son être désirant et s'organise en langage d'abord muet. Ses cris, ses lallations, ses pleurs, ses sourires sont des expressions naturelles qui vont devenir, à cause de la nourrice qu'il a, langage par lequel il signifie harmonie et dysharmonie intérieures, rencontre avec un autre qui répond, complicité ou non avec cet autre. Un réseau de communication subtile se tisse dans la veille comme dans le sommeil, dans les tensions de son désir d'échanges comme dans le repos, qui l'informe du bon et du mauvais, du bien et du mal, du beau et du pas beau, du permis et de l'interdit. Il recherche ce qui apporte plaisir, il évite le déplaisir. Tout cela est inconscient bien sûr, et se fait chez l'enfant en réponse à ce qui satisfait, mécontente ou laisse indifférents ceux qui l'élèvent et à qui il est attaché (n'étant pas compris d'eux).

Alors il n'y a rien qu'on puisse classer « normal », ou « anormal » dans les acquisitions d'un jeune enfant ?

Non. Tout s'ordonne dans sa relation à sa mère, dans son attachement précoce à celle-ci et, à travers elle, à lui-même et aux autres. Vraiment, il est impossible de décrire des normes pour ce qu'un enfant acquiert, et d'en juger par ce qu'il fait ou ne fait pas à tel ou tel âge.

Je peux dire, en revanche, que le développement d'un enfant se fait comme il se doit, au mieux de ce qu'il peut selon la nature qui est la sienne au départ de la vie, quand il se sent aimé par des parents qui s'aiment et qu'il y a de la gaieté dans l'air. Je peux dire qu'un enfant se sent en sécurité quand on ne « veut » pas ce dont il n'a pas « envie », ce qui ne signifie pas qu'il faut faire tout ce qu'il a l'air de vouloir, ni lui donner tout ce qu'il demande.

Et notamment, pour ce qui est des parents : la mère et le père ont à continuer à vivre, à faire ce qu'ils ont à faire, ce qui donne sens à leur vie. Bien sûr, on a moins de liberté quand il y a un bébé à nourrir toutes les trois heures, et qui compte dans le budget. Mais toute la vie des parents n'a pas à être centrée sur lui, obnubilée par lui. Il peut partager leurs déplacements, être à portée de voix quand on est occupé, qu'on a des amis.

Il faut seulement éviter les rapports sexuels en sa présence, surtout quand il dort, car il partage tout inconsciemment, plus encore quand il dort ; et l'excitation du plaisir, comme celle de la colère ou de l'angoisse, lui donne des sensations trop fortes. Il faut éviter les surexcitations, par la voix et les caresses, les brusqueries dans les mouvements qu'on lui impose, ne pas le lancer comme un ballon à une autre personne pour s'amuser. Ne pas se moquer de lui : il y est très sensible, même s'il ne le montre pas.

Mais les acquisitions ?

Vous y tenez !

Bon ! Il faut savoir qu'elles sont progressives, que le système nerveux central de l'être humain n'est pas achevé quand l'enfant naît ; le cerveau est formé, mais pas les terminaisons nerveuses qui vont aux mains ; celles-ci le seront bien avant celles qui vont au siège et aux pieds. Alors qu'il est sensible au toucher, il ne peut pas commander à ses mouvements. La moelle épinière se développe jusqu'à vingt-quatre, vingt-huit mois en moyenne.

Cela fait, par exemple, que bien avant d'être capable de percevoir par ses propres sensations ce qui se passe vers son siège, et donc d'être continent (de pouvoir contrôler « pipi-caca » naturellement), il a beaucoup de choses à apprendre et dont il sera capable avant que ne lui soit imposée, par dressage, la continence sphinctérienne. L'aptitude de la bouche et des lèvres à reconnaître les formes existe très tôt ; de même le goût, l'aptitude du nez à discriminer les odeurs, des oreilles à discriminer les sons, leur timbre, leur hauteur, leur intensité, à retenir des chansons, à reconnaître des voix, leur modulation, les accents, des mots (que l'enfant ne pourra dire que plus tard). L'enfant peut acquérir la discrimination des couleurs, de leur intensité, de leurs valeurs relatives. Il y a des images, des tableaux, des peintures qu'il aime, et il entend ce qui lui en est dit. D'autres qui lui sont indifférents, il ne s'y intéresse pas. Les enfants aiment très tôt voir les feuilles, qui jouent sur le fond du ciel, ils sont sensibles au vent qui chante et fait bouger les feuillages des arbres. Ils aiment la verdure, l'air, les fleurs, le chant des oiseaux, les nuages qui courent. Ils aiment le mouvement, parce que c'est la vie. On peut et on devrait leur « parler » de tout ce qu'on voit attirer leur attention. Leur richesse mimique est réponse complice à tout cela et aux paroles, surtout celles de la mère et du père.

Il y a donc un ordre naturel des possibilités d'acquisition – le même chez tous, mais pas au même rythme, selon les enfants et selon la mère qu'ils ont ; et c'est cet ordre qu'il ne faut pas contrarier.

Par exemple, il est dangereux qu'un enfant parle trop tôt. Je veux dire : dangereux qu'il parle, parce que c'est la seule chose qui a valeur pour sa mère et qu'il est comme une bande magnétique qui répète les mots, les bouts de phrases de la mère, par imitation, parce que c'est tout ce qui lui fait plaisir à elle. Il y a des enfants qui parlent parfaitement en apparence, comme des adultes, mais qui ne bougent pas, ne font pas de bruit, ne déménagent pas les choses, ne grimpent pas, ne sont plus curieux de tout ce qui se voit, de tout ce qu'on peut toucher, pour le plaisir. Si la parole parfaite vient alors que l'enfant n'a pas encore des mains aussi habiles pour se nourrir que celles des adultes (qui donc le font encore manger, parce qu'il ne peut pas ou ne veut pas manger seul), on a là un sujet qui se développe en désordre.

De même, un enfant qui est propre, fait sur le pot à la demande de sa mère et pour lui faire plaisir, avant d'avoir du plaisir, lui, à jouer, à rester accroupi, avant d'être habile pour marcher, monter seul sur une échelle de ménage ou un escabeau pour son plaisir, est un enfant « dressé » et placé dans la dépendance de l'adulte ; il suit un développement désordonné par rapport à sa « nature » et à son progrès spontané. Le dressage l'amène à renoncer aux sensations de ses sphincters, qui sont lieux de plaisir naturel dans leur fonctionnement. Il renonce à son plaisir pour le plaisir de sa mère, pour être en paix avec elle. Mais il « s'oublie ».

Il en va de même pour la motricité. Il l'acquiert en jouant avec les autres enfants pour découvrir l'espace, maîtriser les choses et les connaître, savoir comment les faire bouger pour le plaisir, comment les manipuler pour son utilité, en jasant, en faisant du bruit, en tenant des discours à sa façon. Si la mère l'oblige à se taire sans arrêt, à ne pas toucher ce qu'il peut atteindre et qui n'est pas réellement dangereux, l'enfant s'éteint, freine ses dispositions, est bloqué dans ses acquisitions.

Alors, pour conclure sur les normes d'acquisitions ?

Il me semble que j'en ai assez dit.

Un enfant « élastique », je veux dire mouvant, chez qui varient les expressions de bouche, de goût, de regard, d'attention auditive, de bruissements ; qui prend, jette, tripote, bouge les choses, tout cela adapté à ses propres besoins ; qui, au fur et à mesure qu'il grandit, joue à faire les choses qu'il voit faire et en invente d'autres ; qui satisfait seul les besoins de son corps, mange comme il a faim, fait sa toilette parce que c'est agréable, sait s'occuper seul, mais aime mieux encore jouer avec les autres enfants de son âge ; qui se sent en sécurité en faisant tout cela, avec une mère vigilante mais non pas angoissée, ni trop permissive ni trop sévère, une mère qui n'est pas l'esclave de son enfant et ne fait pas de lui son nounours, sa poupée ou son chien couchant, une mère qu'il voit rire, qu'il entend chanter, qu'il sent heureuse avec d'autres personnes que lui sans ni le négliger ni exiger plus de lui quand elle est en compagnie que seule – voilà un enfant sage et bien vivant. Un enfant heureux, bien dans sa peau, qui se développe comme il a, lui, à se développer, avec ses particularités qui seront respectées.

C'est la relation aux autres, aux vivants, aux animaux, aux plantes, aux fleurs, aux éléments, aux choses, et les paroles dites à propos de tout cela, qui font d'un enfant un être d'échange, d'avoir, de faire, de prendre et de donner, de savoir et d'inventer : un être humain qui, au jour le jour, devient une petite personne de bonne compagnie, et l'est vraiment à trente mois environ.

Bon, voilà pour les acquisitions possibles à trente mois.

L'enfant a encore bien des choses à apprendre avant trois ans pour être en sécurité partout, pouvoir s'adapter à la discipline qu'impose l'école maternelle sans s'y éteindre, en y prenant plaisir et en découvrant là, avec jubilation, des activités nouvelles.

Il apprendra son nom – et pourquoi celui-là ? –, son sexe et son devenir, de qui il est le fils ou la fille, et ce que cela veut dire ; son adresse, le nom des rues, le chemin pour aller à l'école. Et puis, qu'on n'a pas tout ce qu'on veut, qu'on ne prend pas ce qui ne vous est pas donné et que tout se paie ; qu'il faut savoir se défendre, ne pas nuire exprès, être prudent dans la rue ; bref, tout ce qui le mettra en sécurité dans la société et lui rendra possibles des acquisitions nouvelles tous les jours, vers de plus en plus d'autonomie et de bonnes relations avec les autres, parmi lesquels il choisira ses élus et s'en fera des amis. Les autres aussi, il faut « faire avec ».

Voilà une longue conclusion dont je vous remercie. Pour les enfants et leurs parents… Et, en bref, il n'y a pas de normes !

Non. Il y a l'ordre de la nature que l'amour des parents et l'éducation utilisent, développent ou non, mais qu'il faut bien veiller à ne pas contrarier.

Index

Cet index thématique renvoie à la fois au tome I (romain) et au tome II (italique).

Table

Du même auteur

La Foi au risque de la psychanalyse
(en collab. avec Gérard Sévérin)
« Points Essais » n° 154, 1983

L'Image inconsciente du corps
1984
et « Points Essais » n° 251, 1992, 2002

Séminaire de psychanalyse d'enfants (t. 2)
(en collab. avec Jean-François de Sauverzac)
1985
et « Points Essais » n° 221, 1991

Enfances
« Points » n° P600, 1986, 1999

Dialogues québécois
(en collab. avec Jean-François de Sauverzac)
1987

Quand les parents se séparent
(en collab. avec Inès Angelino)
1988
et « Points Essais » n° 587, 2007

Autoportrait d'une psychanalyste
(texte mis au point par Alain et Colette Manier)
1989
et « Points » n° P863, 2001

Lorsque l'enfant paraît
(édition complète en relié)
1990

Séminaire de psychanalyse d'enfants (t. 3)
Inconscient et destins
(en collab. avec Jean-François de Sauverzac)
« Points Essais » n° 222, 1991

CHEZ D'AUTRES ÉDITEURS

Nouveaux Documents sur la scission de 1953
(en collab. avec Serge Leclaire)
Navarin, 1978

Enfants en souffrance
Stock, 1981

L'Enfant du miroir
(en collab. avec Juan-David Nasio)
Payot, 1992, 2006

Articles et conférences
T. 1. Les Étapes majeures de l'enfance
Gallimard, 1994
et « Folio Essais », 1998

Articles et conférences
T. 2. Les Chemins de l'éducation
Gallimard, 1994
et « Folio Essais », 2000

Article et conférences
T. 3. Tout est langage
Réédition : Gallimard, 1995, 2002

La Difficulté de vivre
Réédition : Gallimard, 1995

La Cause des enfants
« Pocket » n° 4226, 1995, 2007

L'Éveil de l'esprit
Nouvelle pédagogie rééducative
« Livre de poche » n° 13710, 1995

Destins d'enfants
Gallimard, 1995

Quelle psychanalyse après la shoah ?
(en collab. avec Jean-Jacques Moscovitz)
Temps du non, 1995

La Sexualité féminine
Gallimard, 1996
et « Folio Essais », 1999

La Cause des adolescents
« Pocket » n° 4225, 1997, 2003

Le Sentiment de soi
Gallimard, 1997

Parler de la mort
Mercure de France, 1998

L'Enfant dans la ville
Mercure de France, 1998

L'Enfant et la Fête
Mercure de France, 1998

Articles et conférences
T. 5. Le Féminin
Gallimard, 1998

L'Enfant, le Juge et la Psychanalyse
(en collab. avec André Ruffo)
Gallimard, « Françoise Dolto », 1999

Paroles pour adolescents ou le Complexe du homard
(en collab. avec Catherine Dolto-Tolitch)
Réédition : Gallimard, « Giboulées », 1999, 2003

Le Dandy, solitaire et singulier
Mercure de France, « Le Petit Mercure », 1999

La psychanalyse nous enseigne qu'il n'y a ni bien
ni mal pour l'inconscient : 30 décembre 1987
(en collab. avec Jean-Jacques Moscovitz)
Temps du non, 1999

Les Évangiles et la Foi au risque de la psychanalyse (t. 2)
Gallimard, 2000

Père et Fille
Une correspondance (1914-1938)
Mercure de France, 2002

Parler juste aux enfants
Entretiens
Mercure de France, 2002

Entretiens
Les images, les mots, le corps
(avec Jean-Pierre Winter)
Gallimard, « Françoise Dolto », 2002

Lettres de jeunesse (1913-1938)
Gallimard, 2003

La Vague et l'Océan
Séminaire sur les pulsions de mort (1970-1971)
Gallimard, « Françoise Dolto », 2003

Une vie de correspondance
(1938-1988)
(édition établie et présentée par Muriel Djéribi-Valentin)
Gallimard, « Françoise Dolto », 2005

Parler de la solitude
(textes choisis et présentés par Élisabeth Kouki)
Mercure de France, 2005

Mère et fille
Une correspondance (1913-1962)
Mercure de France, 2008

Archives de l'intime
Gallimard, 2008

Une psychanalyste dans la cité
L'aventure de la Maison verte
Gallimard, 2009

RÉALISATION : PAO ÉDITIONS DU SEUIL
IMPRESSION : NORMANDIE ROTO IMPRESSION S.A.S À LONRAI
DÉPÔT LÉGAL : JANVIER 2014. N° 116092 (134892)
IMPRIMÉ EN FRANCE